MORD IN GEEKTOWN

DER NEUE ROMAN VON
PETER OSTERIED

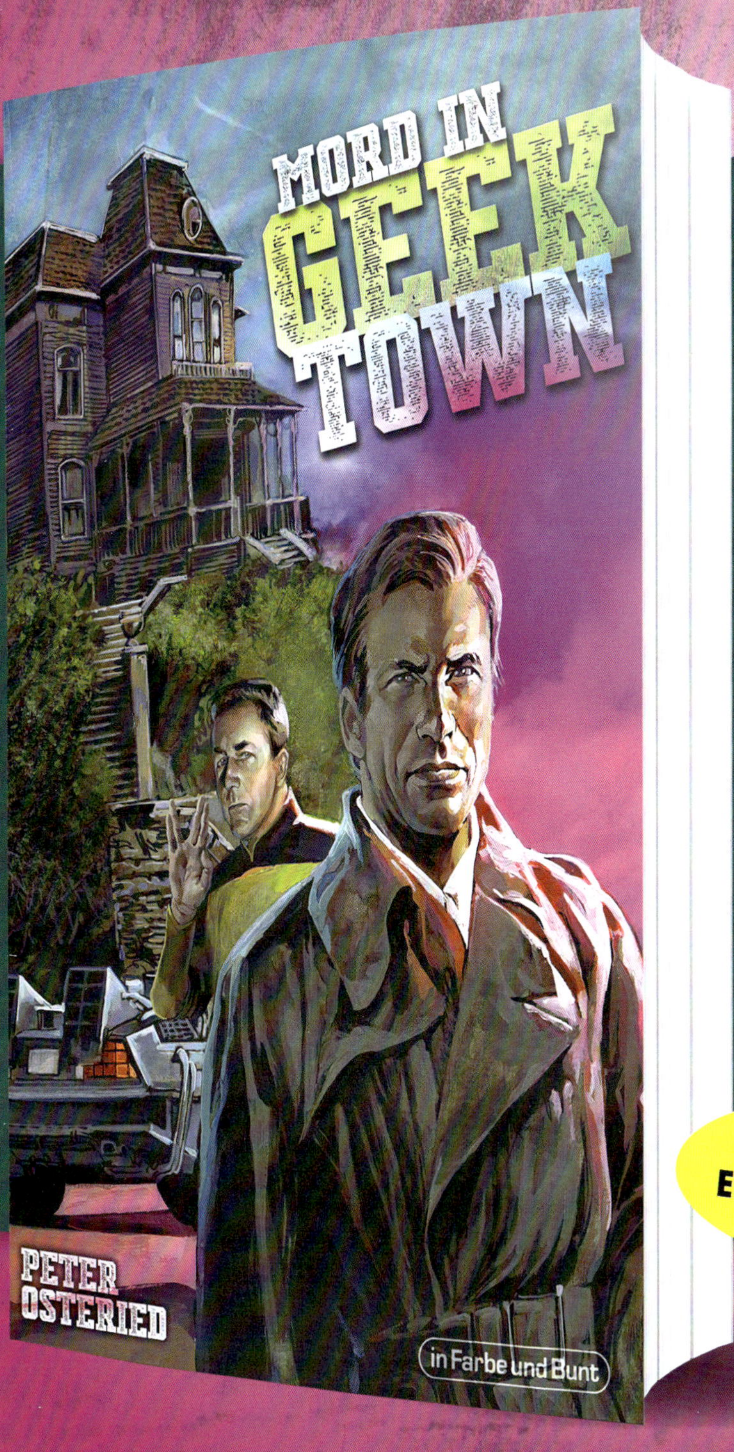

Geektown – eine Stadt wie keine zweite. Hier tragen die Bewohner Kostüme, zitieren ihre Lieblingsfiguren und wohnen in Häusern, die berühmten Film- und Fernsehhäusern nachempfunden wurden. Geschaffen von einem exzentrischen Milliardär, wurde Geektown zur Heimat für Menschen, denen Popkultur alles bedeutet – ein Ort der Fantasie für Nerds und Geeks.

Nie gab es hier Verbrechen. Bis jetzt. Bis einem Mann der Kopf abgeschlagen wurde.

Da es in Geektown keine eigene Polizei gibt, wird Kommissar Sören Torwen von der Mordkommission geschickt, um zusammen mit dem einheimischen Sicherheitschef Daniel Winter zu ermitteln. Dieser ist mit Leib und Seele Trekkie und läuft im Dienst in seiner geliebten Sternenflottenuniform herum. Torwen ist fasziniert von dieser völlig anderen Welt, auch wenn er mit Nerdigem eigentlich gar nichts am Hut hat. Ein Kulturschock, der seine Ermittlungen zu einer echten Herausforderung werden lässt …

NEU-ERSCHEINUNG

★★★★★

„Wenn man dieses Jahr nur einen Roman kauft, dann unbedingt diesen!"
– Björn Sülter

ÜBERALL WO ES BÜCHER GIBT UND UNTER **WWW.IFUBSHOP.COM**

Inhalt >>

BUFFY REVIVAL: RYAN KIERA ARMSTRONG IST DIE NEUE JÄGERIN

Seit einiger Zeit ist schon bekannt, dass an einem Reboot der Serie ***Buffy – The Vampire Slayer*** gearbeitet wird. Die neue Serie wird zwar offiziell als Reboot bezeichnet, ignoriert aber nicht wie üblich die Handlung der Vorlage, denn Sarah Michelle Gellar kehrt auch als Buffy Summers zurück. Ryan Kiera Armstrong machte sich zuletzt in ***Star Wars Skeleton Crew*** bekannt, war aber auch schon in etlichen Produktionen vorher zu sehen. Die 15-jährige soll eine introvertierte Highschool-Schülerin spielen, die zur neuen Jägerin auserkoren wird.

Das sogenannte Buffyverse wurde von Joss Whedon erdacht, der Film von 1992 mit Kristy Swanson und Donald Sutherland floppte allerdings. Erst die Serie von 1997, die über 144 Episoden in sieben Staffeln lief und ein Spin-Off mit vier Staffeln, Comics, Romane und Videospiele nach sich zog, machte aus der Idee ein Franchise und verhalf dem Kinofilm zum Kultstatus.

Die Rolle von Anderson hat noch keinen Namen, weicht aber von ***Buffy*** in so weit ab, dass diese in beiden Versionen Cheerleader war, was mit introvertiert wohl eher nicht zusammengeht. Noch gibt es keinen Starttermin, aber in den USA wird die noch unbetitelte Serie zu Hulu kommen, was wir hier in Deutschland bei Disney+ sehen können. Chloé Zhao wird wenigstens die erste Folge inszenieren.

DENIS VILLENEUVE MACHT BOND

Seit Juni ist bekannt, wer den ersten neuen Bond-Film (Nummer 26 in der offiziellen Reihenfolge) der neuen Ära des Franchises bei Amazon MGM inszenieren wird. Es ist kein geringerer als Starregisseur Denis Villeneuve, der nach dem wegweisenden Science-Fiction-Film ***Arrival*** (2016) und der Kultfilm-Fortsetzung ***Blade Runner 2049*** (2017) in den letzten Jahren vor allem mit seinen Verfilmungen von Frank Herberts ***Dune*** (2021 und 2024, Teil drei befindet sich derzeit in Produktion) für Furore sorgte. Mehr als das steht allerdings bisher noch nicht fest; weder gibt es einen möglichen Starttermin noch einen neuen 007-Darsteller. Für diesen kursieren Namen wie Aaron Taylor-Johnson (***28 Years Later***), James Norton (***Grantchester***), Theo James (***The Gentlemen***) oder Ex-Superman Henry Cavill, doch gibt es keinerlei offizielle Bestätigung für einen davon.

BLADE RUNNER TV SERIE

Obwohl die Hauptdreharbeiten für die Streaming-Fortsetzung der beiden Kultfilme mit Harrison Ford von Ridley Scott und Denis Villeneuve seit vergangenem Dezember abgeschlossen sind, gibt es bislang keinen Starttermin.

In der von Amazon Prime in Auftrag gegebenen sechsteiligen Miniserie, die 50 Jahre nach dem zweiten ***Blade Runner***-Film angesiedelt ist, spielt Michelle Yeoh (***Star Trek: Section 31***) die Replikantin Olwen, die mit ihrer Sterblichkeit konfrontiert wird. Als Showrunnerin fungiert Silka Luisa (Halo, Shining Girls), während Ridley Scott einen Produzentenposten bekleidet. Herauskommen könnte die Serie Ende 2025 oder auch erst im nächsten Jahr.

NEWS

>> INDUSTRIE TRATSCH
>> MEINUNGEN & GERÜCHTE

STRANGE NEW WORLD 5

Wie Mitte Juni bekannt wurde, werden der derzeit laufenden dritten Staffel von ***Star Trek: Strange New Worlds*** nur noch zwei weitere Seasons folgen. Paramount+ teilte offiziell mit, dass man nach der derzeit in Produktion befindlichen vierten Staffel (deren Sendetermin noch offen ist) eine abschließende fünfte bestellt habe. Diese allerdings wird deutlich kürzer als die vorherigen sein und aus lediglich sechs statt der sonst obligatorischen zehn Folgen bestehen.

In einem Statement äußerten Showrunner Akiva Goldsman sowie Alex Kurtzman und Produzent Henry Alonso Myers, dass ***Strange New Worlds*** von Anfang an das ehren wollte, wofür ***Star Trek*** immer stand: Grenzenlose Neugier, Hoffnung und den Glauben daran, dass eine bessere Zukunft möglich ist. „Wir schulden Paramount+ großen Dank für die Möglichkeit, unsere fünf Staffeln währende Mission so vervollständigen zu können, wie wir es uns vorgestellt haben – gemeinsam mit unserer außergewöhnlichen Besetzung und Crew.

Und wir danken den hingebungsvollen Fans, die uns auf dieser Reise begleitet haben." Sie unterstrichen jedoch auch den Aspekt, dass der geplante Abschied noch nicht so bald stattfinden wird. „Mit drei weiteren atemberaubenden Staffeln vor uns, die es noch anzusehen und zu genießen gilt, ist das Abenteuer noch lange nicht vorbei." Damit folgt man dem bereits mit ***Star Trek: Discovery*** und auch ***Lower Decks*** eingeschlagenen Kurs, die neuen Serien nach der fünften Staffel zu beenden (lediglich ***Star Trek: Picard*** tanzte mit drei Staffeln aus der Reihe).

Zumindest die nächste Zukunft von ***Star Trek*** ist gesichert – die erste Staffel von ***Starfleet Academy*** wird voraussichtlich 2026 starten. Wie es danach nach der Fusion von Paramount Global und Skydance Media weitergehen wird, ist derzeit noch unklar (siehe die ***Star Trek***-Kolumne in diesem Heft).

DER ASTRONAUT

Schon jetzt ist die zweite Adaption eines Romans von Andy Weir einer der meisterwarteten Science-Fiction-Filme des kommenden Jahres. Der Mitte Juni auf den gängigen Videoplattformen veröffentlichte erste Trailer lässt Großes erwarten: ***Der Astronaut*** (Project Hail Mary), inszeniert von Phil Lord und Christopher Miller (***Wolkig mit Aussicht auf Fleischbällchen 1 & 2***, zeigt Ryan Gosling (zuletzt der neue Colt Seavers in ***The Fall Guy*** und Hauptdarsteller im neuen ***Star Wars***-Kinofilm ***Starfighter***) als Raumfahrer Ryland Grace. Der eigentliche Lehrer für Naturwissenschaften wird sich nach der Wiedererlangung seines Gedächtnisses während einer Weltraummission seiner Mammutaufgabe bewusst, das Erlöschen der Sonne durch eine geheimnisvolle Substanz zu verhindern. Die weibliche Hauptrolle der Eva Stratt spielt die deutsche Schauspielerin Sandra Hüller (***The Zone of Interest***). Der Autor der Vorlage schrieb auch ***Der Marsianer***, dessen Verfilmung von Ridley Scott als einer der besten Science-Fiction-Filme der letzten Jahrzehnte gilt. ***Der Astronaut*** wird am 19. März 2026 in die deutschen, einen Tag später in die US-Kinos kommen.

STAR WARS AHSOKO SEASON 2

Derzeit finden die Dreharbeiten zur zweiten Staffel der ***Star Wars***-Realserie ***Ahsoka*** statt. Allerdings gilt es für Fans der Saga, sich bis zum nächsten Jahr zu gedulden; Season zwei ist für eine Veröffentlichung erst 2026 angedacht. Bis dahin können sich Fans der Saga jedoch auf einiges freuen, was sie in den neuen Folgen erwarten wird. So wird es erneut einen oder mehrere Auftritte von Hayden Christensen als Machtgeist Anakin Skywalkers geben, außerdem wird der aus ***Star Wars Rebels*** bekannte Lasat Zeb Orrellios ebenso mit dabei sein wie Mon Calamari-Admiral Ackbar. Eine notwendige Umbesetzung fand für die Rolle des abtrünnigen Jedi Baylan Skoll statt – bekanntlich verstarb dessen Originaldarsteller Ray Stevenson drei Monate vor der Premiere der ersten Staffel. Für ihn übernimmt nun Rory McCann, den Fantasy-Fans als den vernarbten „Bluthund" aus ***Game of Thrones*** kennen. Wie Ahsoka-Darstellerin Rosario Dawson verriet, hat sie ein mehrmonatiges Kampftraining mit dem Schauspielkollegen absolviert.

NEWS *FEED*

DAS RAD DER ZEIT ENDE MIT STAFFEL 3

Die Serie läuft seit 2021 auf Prime Video – eigentlich mit großem Erfolg. Nach gesunkenen Zuschauerzahlen entschied sich Amazon nun aber dafür, die Serie nicht mehr weiter zu produzieren. Im Jahr 2021 startete ***Das Rad der Zeit*** fulminant mit dem meistgesehenen Serienstart des Jahres und war lange unter den Top 5 der Serien auf Prime Video zu finden. Es ist nicht so, dass die Serie in der dritten Staffel nun plötzlich floppt, aber die Anzahl der Zusehenden ist doch gesunken. Die Entscheidung, die Serie, die auf dem Fantasy-Buchzyklus von Robert Jordan basiert, wurde auf Basis der Nielsen-Rangliste getroffen. Die Serie ist in mehreren Ländern immer noch die Nummer 1 auf Prime Video. Doch war die Gesamtleistung von Staffel 3 im Vergleich zu den Kosten wohl nicht gut genug, um die Geschichte fortzusetzen. Dies ist eine traurige Nachricht für die Fans, denn die Romanvorlage umfasst insgesamt 15 Bände, da auch nach dem Tod von Robert Jordan im Jahre 2007 weitere Bücher veröffentlicht wurden. Das Finale der 3. Staffel ist aber wohl so konzipiert worden, dass es den leidenschaftlichen Fans einen gewissen Abschluss bietet.

Die dritte Staffel wird auf der Plattform Rotten Tomatos mit 97 % sehr hoch eingestuft.

SPIELBERGS UFO FILM

Der noch titellose neue UFO-Film von Steven Spielberg, der 2026 veröffentlicht werden soll, wird mit großer Spannung erwartet. Dabei soll es sich um keine Adaption eines bereits bekannten Stoffes handeln, sondern geschrieben von David Koepp (Drehbuchautor unter anderem von Jurassic Park, dem ersten Mission Impossible-Kinofilm und den beiden letzten Indiana Jones-Filmen) eine neue Geschichte nach der Idee von Spielberg erzählen.

Zumindest einige der Darstellernamen sind bereits bekannt – neben Emily Blunt (***Oppenheimer***) und Josh O'Connor (***The Crown***) werden unter anderem auch Colin Firth (***Kingsman***-Filmreihe) und Eve Hewson (***The Knick***) zum Cast gehören.

R.I.P. - PETER DAVIDS

Peter Davids aktive Zeit mag lange zurückliegen. Doch der Schriftsteller hat in dieser Periode viele erinnerungswürdige Geschichten geschrieben. Seine Comicruns bei Serien wie ***Incredible Hulk, Aquaman*** oder ***Captain Marvel*** sind heute noch legendär. Und auch in Sachen ***Star Trek*** hinterließ er Fußabdrücke. Mit ***Star Trek – New Frontier*** hatte er zur Hochzeit des Litverse sogar seinen eigenen Sandkasten, wo er ungestört vom Rest des Universums spielen und dabei mit seinem typischen Humor begeistern konnte. Doch die letzten Jahre ging es ihm nicht gut. Zahlreiche gesundheitliche Rückschläge verhinderten, dass er weiter schreiben konnte. Er war bettlägrig, musste mehrere Schlaganfälle überstehen. Doch seine Frau war optimistisch, dass es ihm besser gehen würde. Diese Jahre waren für die Familie schwer. Denn auf Grund des amerikanischen Gesundheitssystems wurde sein Krankenhausaufenthalt nur zu Beginn von der Krankenkasse abgedeckt. Irgendwann lief das aus und seitdem lief eine Gofundme-Kampagne, bei der über 100.000 US Dollar für den Schriftsteller und seine Angehörigen gesammelt wurden. Und selbst langte nicht immer aus, damit die Familie über die Runden kommen konnte. Das ist ebenso ein Symptom dafür, dass die großen Comicverlage ihre Kinoerfolge auf den Rücken der Kreativen erlangen und diese, wenn überhaupt, nur mit wenigen Cents abspeisen, derweil die Filme teilweise Milliarden an den Kinokassen einspielen. Am 25. Mai 2025 hat Peter David den Kampf um seine Gesundheit verloren.

INTERVIEW MIT STARFLEET ACADEMY STARS KERRICE BROOKS & BELLA SHEPARD

Wir hatten die Gelegenheit, mit zwei der neuesten Star Trek-Rekrutinnen auf dem roten Teppich des Fan Fest in den Universal Studios zu sprechen. Kerrice Brooks und Bella Shepard spielen Kadetten in der kommenden Serie Starfleet Academy.

Insider: Ihr dürft keine Spoiler verraten, aber was könnt ihr über die Starfleet Academy sagen? Wie würdet ihr die Serie insgesamt beschreiben?

Bella Shepard: Neu, aufregend.

Kerrice Brooks: Hormongesteuert [lacht]

Bella Shepard: [lacht] Es wirft einen definitiv ein paar Mal aus der Bahn.

Kerrice Brooks: Ich sage hormongesteuert, weil wir jung sind und uns noch zurechtfinden müssen, genau wie im echten Leben. In der Serie finden wir definitiv unseren Weg.

Bella Shepard: Ich würde sagen, sie ist auch beruhigend ... weil wir viele Rückblenden und Easter Eggs zu früheren Generationen haben.

Kerrice Brooks: Ich würde auch sagen, dass sie sehr bestärkend ist. Ich würde nicht sagen, dass andere Serien das nicht sind, aber ich finde, dass diese Serie sehr dafür eintritt, eine bessere Zukunft für alle zu finden.

Insider: Es ist interessant, dass du die früheren Generationen erwähnst. Man könnte die Besetzung der Serie fast als einen Mikrokosmos des Publikums betrachten. Da sind die Lehrkräfte, die so etwas wie die älteren Fans sind. Und dann gibt es euch, die Kadetten, die wie die jungen neuen Fans sind, die man ansprechen möchten. Wie findet ihr, dass die Serie diese verschiedenen Handlungsstränge und die Anziehungskraft auf das jüngere und ältere Publikum in Einklang bringt?

Kerrice Brooks: Ich würde sagen, es fühlt sich in gewisser Weise wie eine Staffelstab-Übergabe an, aber das soll nicht heißen, dass die ältere Generation ausgedient hat, denn ich denke, das wäre die falsche Botschaft.

Bella Shepard: Es ist wie Händchenhalten ...

Kerrice Brooks: Ja, Händchenhalten, so ist das Leben.

Insider: Das Hauptset wurde auf der größten Bühne Nordamerikas aufgebaut. Könnt ihr uns erzählen, wie es war, zum ersten Mal den Campus der Starfleet Academy zu betreten, und wie sich diese reale Kulisse auf eure Darstellung ausgewirkt hat?

Bella Shepard: Nun, es war interessant, weil wir den Entstehungsprozess mitverfolgen konnten. Als wir alle in Toronto ankamen, war das Set noch nicht fertig, weil es so riesig war. Wir konnten also sehen, wie es nach und nach entstand, was in gewisser Weise auch demütig machte. Es war wie: „Wow, alle arbeiten daran und machen diese Welt zu dem, was sie ist."

Kerrice Brooks: Und wir mussten nicht einmal schauspielern, weil wir die ganze Zeit so in die Umgebung eingetaucht waren. Wir haben auf echte Dinge reagiert. So wie: „Das war echt!" Alles daran. Sogar im Schiff, wo wir hin- und hergeschleudert wurden, Perücken durch die Luft flogen und Zähne herausfielen. [lacht] Es war viel, aber es hat Spaß gemacht.

Gibt es das immer noch, dass man eine Zahl bekommt, damit man weiß, wie stark man auf der Brücke zittern muss?

Kerrice Brooks: Wahrscheinlich. Ich kann mich nicht daran erinnern, weil wir um unser Leben gekämpft haben.

Frakes weiß das bestimmt noch. Ich glaube, er hat bei Folge neun Regie geführt...

Kerrice Brooks: Frakey Wakey! Guten Morgen, Schatz! Hi! ... Er hat ein Lieblingswort. Er nennt es „facting". Zum Beispiel: „Alle bereit für ein bisschen facting."

Insider: Habt ihr eine Vorliebe für die Weltraum- oder die Erd-Szenen? Fühlt ihr euch mehr geerdet, wenn ihr auf der Erde oder an einem Drehort arbeitest?

Kerrice Brooks: Ja. Ich würde sagen, ich liebe die Weltraum-Sachen. Ich meine, die Erde ist natürlich der Ort, an dem wir uns gerade befinden. Aber ich liebe die Weltraum-Sachen.

Bella Shepard: Ja, und allein schon auf diesen Bühnen zu stehen, fühlte sich wirklich an, als wären wir im Weltraum.

Kerrice Brooks: Ja, es versetzt uns buchstäblich in eine ganz andere Welt.

Diese Serie ist seit vielen Jahren in der Entwicklung, und in den frühen Diskussionen ging es darum, dass sie wie „CW im Weltraum" sein sollte. Könnt ihr etwas über die Stimmung sagen? Ist es aus eurer Sicht eine Serie für junge Erwachsene? Ist es eine Serie für Erwachsene? Ist es alles?

Bella Shepard: Alles!

Kerrice Brooks: Ja. Um ehrlich zu sein, fühlt es sich nicht besonders jugendlich an. Ich finde nicht, dass die Dinge vereinfacht oder vorgekaut werden.

Bella Shepard: Wir sind einfach junge Erwachsene, die einige echt beschissene Sachen durchmachen ... oh, sorry [lacht] Echtes Zeug.

Kerrice Brooks: Aber genau wie das Leben dich auf eine bestimmte Ebene bringt, fühlt es sich an, als würde die Serie das mit den Kadetten machen. Es fühlt sich an, als würde sie uns auf eine bestimmte Ebene bringen, anstatt sich auf das Niveau von Jugendlichen herabzulassen, was nichts Negatives ist. Aber anstatt zu uns zu kommen, treten wir sozusagen einer Föderation bei, also müssen wir uns hocharbeiten.

Insider: Als ihr angefangen habt, wie viel wusstet ihr über die Entwicklung eurer Figur? Hat man euch eine Vorstellung davon gegeben, wo man eure Figur nach dem Abschluss oder in der Zukunft sieht?

Bella Shepard: Wir haben keine Ahnung, wohin die Reise geht. Wir finden die Dinge irgendwie heraus, während unsere Figuren sie herausfinden.

Kerrice Brooks: Was bei unseren Figuren manchmal eine Weile dauert. Und bei uns auch.

Bella Shepard: Wir haben keine Ahnung, wohin unsere Figuren gehen.

Kerrice Brooks: Das hält uns auf jeden Fall auf Trab.

Als wir zuletzt mit [Executive Producer] Alex [Kurtzman] gesprochen haben, hoffte er, Mitte des Jahres wieder mit der Produktion beginnen zu können. Gibt es Dinge, auf die ihr euch für die zweite Staffel freut?

Kerrice Brooks: Ich bin gespannt, wohin unsere Figuren gehen, wegen dem wie die letzte Staffel endet und wie wir zurückkommen. Wie wird das für jeden einzelnen aussehen, denn wir alle enden an ganz unterschiedlichen Punkten. Ich würde auch sagen, dass der Winter in Toronto kalt ist, also hoffen wir, dass wir ein bisschen Sommer bekommen, ein bisschen Sonne, bitte, bitte, Alex, bitte!

Insider: Nun, letztes Jahr habt ihr im August angefangen ...

Kerrice Brooks: Ja, aber im Oktober wurde es kalt in Toronto. So am 1. Oktober.

Insider: Musstet ihr also mit der Kälte am Drehort zurechtkommen? Ich weiß, dass die Darsteller von Strange New Worlds bei den Dreharbeiten in Toronto mit eisiger Kälte zu kämpfen hatten ...

Bella Shepard: Ja, das hatten wir.

Kerrice Brooks: Wir hatten ein paar Drehtage, und ich muss sagen, dass Kälte kein Spaß ist.

Die Dreharbeiten zur ersten Staffel von Starfleet Academy wurden Anfang dieses Jahres abgeschlossen. Paramount+ hat noch keinen Veröffentlichungstermin bekannt gegeben, aber die Serie wird voraussichtlich 2026 anlaufen.

MURDERBOT – DAS NEUE MUST-SEE BEI APPLE TV+

SERIEN INFO:

Folgen: 10
Staffeln: 1
Dauer: 22-29 min.
Produktion: UK/USA
Streaming: Apple TV +
Release Date: 2025
Showrunner: Paul Weitz
Stars: Alexander Skarsgard, Noma Dumezwent, David Dastmalchian, Sabrina Wu, Akshay Khanna, Tamara Podemski

Mit Murderbot schließt sich Apple TV+ dem Trend zu kurz und knackig erzählter serieller Kost mit Starbesetzung an – und zeigt erneut, was hohe Qualitätsstandards und gut durchdachte Drehbücher auch aus wenig Sendezeit herausholen können. Hier kommt unsere Staffelkritik.

Eine große Unbekannte

Bevor wir uns der näheren Betrachtung des neuen Apple-Erfolgsformats *Murderbot* nähern, sei an dieser Stelle vorweggenommen, dass ich vor dem Anschauen der Serie noch nie etwas von der Autorin Martha Wells und ihrer Killerbot-Reihe (im Original: *The Murderbot Diaries*) gehört hatte. Ich hatte also keinen ihrer Romane gelesen und keinen blassen Schimmer davon, was mich erwarten würde. Und das war verdammt gut so, denn ich wurde mehr als nur positiv überrascht. Im Nachhinein habe ich mir natürlich die ersten drei Bände zugelegt und auf meinen E-Book-Reader geladen. Nachdem ich also nach dem Ende der Staffel wohl eine ganze Zeit lang auf die – hoffentlich anstehende – Fortsetzung warten muss, kann ich mich nun zumindest in die geschriebenen Welten von *Murderbot* beamen, um mehr über diese ebenso interessante wie tiefsinnige Figur zu erfahren.

Subtext

Doch worüber genau reden wir hier eigentlich? Wer oder was ist er oder es und was macht die Serie so sehenswert? Die Geschichte beginnt in einer nicht näher definierten fernen Zukunft. Die skrupellose unternehmensgeführte Corporation Rim beherrscht große Teile der Galaxie und sichert ihre Macht durch die Verkäufe sogenannter Sec-Units. Das Problem: die humanoiden schwerbewaffneten Maschinen sind brandgefährlich und verfügen zudem über ein Bewusstsein, das lediglich durch ein „Governor-Modul" in Schach gehalten wird. Dieses funktioniert in der Theorie grundsätzlich nach den Asimovschen Robotergesetzen, mit dem Unterschied, dass sich die Bots auf Befehl ihres Auftraggebers willenlos der Gewaltlust ihrer Klienten unterwerfen müssen. Gewalt gegen Menschen oder auch nur der Hauch von Ungehorsam sind laut Programmierung hingegen nicht möglich. Hier kommt bereits der starke Subtext der ersten Staffel ins Spiel, denn wer über ein Bewusstsein verfügt, ist sich auch über eine so prekäre Lage bewusst wie jene, der die Hauptfigur namens Security Unit 238776431 ausgesetzt ist. Die Einheit fristet ihr Dasein auf einem Bergbauasteroiden und erlebt Tag für Tag die widerlichsten und verachtenswertesten Verhaltensweisen der Menschen mit, die sie beschützen soll. Doch eines Tages gelingt ihr das Unmögliche. Sie hackt das Governor-Modul und ist mit einem Mal frei.

Damit wird klar, dass der hochaktuelle Diskurs zum Thema Posthumanismus eine große Rolle spielt. Es stellt sich nämlich von Anfang an die Frage, ob wir SecUnit, der sich von nun an *Murderbot* nennt, als Lebewesen oder lediglich als defekte Maschine betrachten müssen. Die Diskussion nimmt Fahrt auf, als der auch als Erzähler aus dem Off fungierende Android uns wissen lässt, dass er trotz seiner erlangten Freiheit immer noch für die Corporation arbeitet, schlicht, weil ihm gar keine andere Wahl bleibt. Fänden seine Erbauer heraus, dass er über einen freien Willen verfügt, würde man seine organischen Teile einschmelzen und den Rest recyclen. Das verkompliziert die Sachlage in zweierlei Hinsicht. Erstens haben wir es mit einem offensichtlich künstlichen Wesen zu tun, dessen Fähigkeiten selbst jene von Data in den Schatten stellen dürften. Zweitens ist *Murderbot* kein einfacher Android im

herkömmlichen Sinne, sondern eher eine Art Cyborg, auch, wenn seine organischen Komponenten gezüchtet sind. Wie schwierig das Ganze zu bewerten ist, zeigt sich in einem Gespräch zwischen ***Murderbot***s neuen Klienten, die er selbst so beschreibt: „Sie waren ein Haufen Hippie-Wissenschaftler von einem winzigen nicht-alliierten Planeten irgendwo im Nirgendwo." Bald stellt sich jedoch heraus, dass diese „Hippies" über hohe moralische Werte verfügen. Als es um den Kauf einer für die Ausrüstung und Durchführung einer Planetenerkundung zwingend vertraglich vorgesehenen SecUnit geht, erleben wir die weit auseinanderklaffenden Meinungen zwischen Verkäufern und Kunden hautnah mit. Eine Corp-Angestellte teilt der Expeditionsanführerin Mensah (klasse: Noma Dumezweni) mit, dass der Ungehorsam einer Beschützereinheit unmöglich ist, worauf Mensah antwortet: „Genau das ist das Problem. Wissen Sie, wir können uns nicht damit anfreunden, dass eine Maschine mit Bewusstsein gezwungen wird, für uns zu arbeiten. Für uns grenzt das nämlich an Sklaverei."

Dieser Diskurs zieht sich nicht nur über die gesamte Staffel, sondern führt Mensahs Gedankengang sogar weiter, so dass wir am Ende nicht umhinkönnen, SecUnit als eigenständige Persönlichkeit mit allen dazugehörigen Rechten zu sehen. Es gibt Momente, die jene Erkenntnis beinahe erfolgreich torpedieren, so überschreiben die Antagonisten der Serie beispielsweise in einer Szene das gehackte Modul. In der finalen Episode geht Hauptautor und Serienerfinder Chris Weitz sogar noch einen Schritt weiter und lässt die Corporation sämtliche Erinnerungen löschen. Damit dringt die Erzählung noch stärker in metaphysische Sektoren vor, denn nun stellt sich zudem die Frage, was eine Persönlichkeit überhaupt ausmacht. Nehmen wir als Beispiel eine stark demenzerkrankte Person, deren Lebensleistung und -erinnerungen von der Krankheit ausgemerzt wurden. Dennoch kämen wir nie auf die Idee, den Menschen nicht als solchen anzuerkennen und ihm seine grundlegenden Rechte abzusprechen. Genau das geschieht auch, als unsere Hippie-Planetologen nach zahlreichen überstandenen Abenteuern *Murderbot* vollkommen gelöscht vorfinden. Sie sind nicht bereit aufzugeben, und mit Hilfe des stark von David Dastmalchian gespielten Augment Gurathin gelingt es, die Daten aus einem System zu extrahieren und zu überspielen. Zuvor geschah aber etwas Merkwürdiges. Obwohl der gesamte Speicher komplett überschrieben wurde, drängten sich Erinnerungsfetzen an die Oberfläche des Androiden. Sind wir also mehr als die Summe unserer Teile? Verfügen wir über eine Seele, etwas das bleibt, wenn von uns nichts mehr übrig ist als Staub oder im Fall von *Murderbot* recyclebarer Schrott?

Mit Augenzwinkern und Action

Das sind tiefgreifende Themen, die die Serie auf nahezu perfekte Weise unterhaltsam aufgreift. Dabei geht es auf moralischer Ebene oft alles andere als sauber zu. Das beginnt damit, dass SecUnit auf dem Bergbauasteroiden ein Massaker anrichtet. Respekt vor dem Leben ist also nicht unbedingt ein Attribut, das wir unserem (Anti-) Helden zuschreiben dürfen. Sicherlich rächt er sich „lediglich" für das, was man ihm angetan hat, all die Schmerzen, die man ihm zufügte. Doch Mord ist natürlich keine Option, es sei denn, man entpersonifiziert ein Wesen – anthropozentrisch gesprochen könnte man auch sagen: entmenschlicht es. Das tut *Murderbot* in mehrfacher Hinsicht. Bis er die „Hippies" Mensah, Gurathin, Pin-Lee (Sabrina Wu), Ratthi (Akshay Khanna), Bharadway (Tamara Podemski) und Arada (Tattiawna Jones) kennenlernt, hält er alle Menschen für minderwertig. Lediglich die Trash-Sci-Fi-Space-Opera „Sanctuary Moon" bringt ihm so etwas wie Erfüllung und lässt ihn aus der Realität fliehen. Allerdings verschwimmen Fiktion und wahres Leben und werden zu einer untrennbaren Suspension, der *Murderbot* Lebensweisheiten, Verhaltensweisen und Ratschläge für den Alltag entnimmt. Als Crew-Captain fungiert übrigens nebenbei erwähnt der fantastische John Cho (Sulu aus den *Star Trek*-Rebootfilmen). Die Serienausschnitte sind in der Regel derbe überzogen und lassen keinen Zweifel daran aufkommen, dass *Murderbot* durchaus noch an seinem Geschmack arbeiten könnte. Dennoch nehmen sie einen wichtigen Teil nicht nur in seiner Existenz, sondern auch in der Serie ein. Immer wieder ruft sich der Androide eine der 2795 Episoden (!) ins Gedächtnis, um seine Klienten zu retten.

Und das geschieht auf ebenso actionreiche

wie lustige Weise. In Folge zwei (Augenkontakt) finden die Planetologen heraus, dass die Corporation Rim ihnen unvollständige Karten zur Verfügung gestellt hat und der Planet außerdem wesentlich gefährlicher ist, als gedacht. Das mündet darin, dass sowohl Bharadwaj als auch er beinahe von einer riesigen, wurmartigen Kreatur gefressen werden. Ein anderes Mal muss sich SecUnit mit gleich mehreren fiesen Einheiten eines Konkurrententeams herumprügeln und etwas später ist das Shuttle unserer Helden einem Eierbefall durch ein recht aggressives Wesen ausgesetzt. So gut wie jede Szene wird dabei von bitterbösen, zynischen Kommentaren begleitet, die ***Murderbot*** aus dem Off zum Besten gibt und die oft genug einen Lacher provozieren. Passend kommen viele Actionszenen wie aus dem Nichts auf uns zugeschossen. In der Sekunde vor den kommenden Ereignissen warnt uns der Androide zwar regelmäßig vor, das schützt uns jedoch nicht vor dem wundervollen Überraschungseffekt, den die meisten Cliffhanger mit sich bringen.

Strukturell sinnvoll

Überhaupt ist die audiovisuell hochwertig ausgestattete Serie strukturell hervorragend umgesetzt. Geht man davon aus, dass die insgesamt zehn Teile der ersten Staffel eine Gesamtspieldauer von knapp 250 Minuten haben, wird ein Dilemma deutlich, dem sich viele Serienmacher heute ausgesetzt sehen. Die Studiobosse wollen neue Produkte möglichst kurz und knackig halten, um so die Klickraten zu erhöhen, andererseits darf eine Geschichte mit hohem Erzähltempo nicht an Stimmigkeit und Konsistenz einbüßen. Das gelingt im Fall von ***Murderbot*** mehr als nur gut, da sich Paul Weitz beim Schreiben voll und ganz auf das vorgegebene Format einließ. Jede Folge führt die Geschichte mit episodalen Ansätzen weiter, wobei der serielle Überbau keineswegs aus den Augen gelassen wird. Zwar geschieht in jeder Episode etwas, das man durchaus als eigenständig betrachten kann, dies dient aber nur als Transportmittel für die notwendigen Schauwerte. Die eigentliche Handlung findet indes auf der Dialog- und der auktorialen Erzählerebene statt und wird mit jeder neuen Erkenntnis, die ***Murderbot*** über seine Klienten erlangt, vorangetrieben. Mit der Zeit findet er heraus, dass er es mit Menschen zu tun hat, die es wirklich gut mit ihm meinen und die in ihm mehr als nur eine Maschine sehen. So wird er immer stärker ins Team integriert, ein Teil der Mannschaft und zu einem Beschützter und Freund. Selbst der anfangs so kritische Augment Gurathin ändert mit der Zeit seine Meinung. Ist er zunächst misstrauisch, kommt im Mittelteil der Staffel die Angst und Sorge um seine Freunde hinzu. Er befürchtet, ***Murderbot*** könne seinem Namen gerecht werden, zumal die Kommentare aus dem Off darauf schließen lassen, dass die Einheit bisweilen Gutes tut, ohne überhaut genau zu wissen, warum. SecUnit handelt am Ende sogar intuitiv, um Mensah und die anderen zu retten. Er improvisiert Lösungen und stellt das Leben des Teams aus moralischen Erwägungen und aus Zuneigung über sein eigenes. Gurathin erkennt das und rettet ihn dafür in der letzten Folge. Das ist eine starke Entwicklung, die im Finale in der ersten durchweg mit ernstem Ton geschriebenen Episode mündet, die den Androiden zu einem wahrhaft freien Wesen werden lässt. Er begibt sich allein ins Abenteuer, getarnt als Augment und von seinen Mitwesen unerkannt, um irgendwo den Sinn seiner Existenz zu ergründen. Besser könnte die Staffel nicht enden.

Fazit

Murderbot ist unterhaltsam, rasant, actionreich und dabei thematisch tief wie der Marianengraben. Alexander Skarsgård ist in Hochform und spielt seine Rolle mit einer Mischung aus kindlicher Naivität und der Härte eines Elitesoldaten. Dank eines sorgsam gewählten Ensembles ist er dennoch nicht übermächtig präsent und bleibt nur ein Teil des Ganzen, wenn auch der wichtigste. Audiovisuell rangiert die Serie auf einem hohen Niveau, strukturell sind Plotpoints und Cliffhanger beinahe perfekt getimt und die Handlung hat sich das Prädikat sehenswert redlich verdient. Es bleibt zu hoffen, dass die Klickzahlen für eine zweite Staffel reichen, denn ich würde gerne erfahren, wie das Leben von „Seci" in der Ferne weitergeht. Welche Abenteuer erlebt er? Findet er neue Freunde? Welchen neuen Feinden steht er gegenüber. Hoffentlich werde ich all das und mehr in mindestens noch zwei weiteren Staffeln erfahren.

Reinhard Prahl

KPOP DEMON HUNTERS - GEGEN JEDE WAHRSCHEINLICHKEIT, VOLLTREFFER!

FILM INFO:

Dauer: 100 min.
Produktion: USA
Streaming: Netflix
Release Date: 2025
Showrunner: Maggie Kang, Chris Appel-Hans

Es gibt Filmideen, so absurd, dass man kaum glauben mag, sie stammten von jemandem mit klarem Verstand. Sie wirken, als seien sie beim Spieleabend entstanden – der Schnaps fließt, der Pegel steigt, und irgendwann wird jede noch so abwegige Eingebung mit der Inbrunst von Gründgens' Faust-Interpretation gefeiert.

„Was wäre, wenn ...?" wird an diesem Abend zur Währung des Gesprächs und zur intellektuellen Mutprobe im Halbdunkel des Kreativchaos. Und dann geht es los, wenn der anwesende Autor am Tisch den Autor auch raushängen lässt. „K-Pop ist das große Ding." „Jaaa, BTS." „Geil, klar, aber wenn ich einen Film über K-Pop mache, nehme ich eine Girlband. Drei Mädels. Ein Trio." „Und die singen?" „Natürlich singen die, du Spacken. Es ist schließlich eine Band." „Und die können auch singen ...?" „Ja, sicher! Aber jetzt haltet mal die Klappen, denn jetzt kommt der Clou der Clous: Sie sind nicht einfach nur eine erfolgreiche K-Pop-Girlband – sie sind Dämonenjägerinnen. So Buffy – im Dreierpack." „Geil. Und dann ...?" „Werden sie von einer Boyband herausgefordert. Dancebattles inklusive." „Warum?" „Weil es da so eine Feuermacht gibt, die gerne die Welt beherrschen würde, aber dafür zu doof ist – denn in jeder Generation tauchen drei Mädchen auf, die so schön singen, dass sie ein Schutznetz über die Welt legen. Und dieser Feuerdämonen-Oberheini ist noch nie auf die Idee gekommen, seine Gegnerinnen mit ihren eigenen Waffen zu schlagen. Und da kommt unser hübscher Dämon ins Spiel ..." „Was für ein hübscher Dämon?" „Hast du gedacht, unsere Mädels werden einfach von einer normalen Band herausgefordert?" (lacht dämoisch). „Also, dieser Typ, der allein sieht schon so heiß auf die gesamte BTS-Besetzung. So ein richtig hübscher Kerl. Nur ist er halt zufällig ein Dämon. Und er sagt zu seinem Oberboss: Ich gehe in die Welt der Menschen, gründe mit meinen Dämonenkumpels eine eigene K-Pop-Band – und dann besiegen wir die Mädels für dich, großer, brennender Kürbis. Und wir schaffen das, weil Boybands einfach viel geiler sind als Girlbands. Größere Fanbase und so." „Krass. Und was bekommt er dafür?" „Das Vergessen." „Was denn für ein Vergessen?" „Dass ich meine Beherrschung vergesse, wenn mir hier weiter dazwischengequatscht wird! Jedenfalls findet die Hauptsängerin des Trios diesen Dämonen, der da plötzlich mit seinen Kumpels auftaucht, total schnuckelig, was sie in eine echte Krise stürzt – denn er ist ja eigentlich der Feind. So wie Buffy und Angelus damals." „Oder Buffy und Spike." „Nee, nur Angelus, wegen hübsch und so. Und jetzt haltet euch fest: Ihre Gefühle stürzen sie gleich noch in ein zweites Dilemma, denn sie ist nicht nur eine coole Sängerin, sie ist auch eine Halbdämon, was natürlich niemand wissen darf." „Boah. Und was ist das dann für ein Genre?" „Ein K-Pop-Horror-Musical-Romanzen-Action-Dingens." „Samma, wie viel Likörchen hast du eigentlich schon intus?"

So muss es gewesen sein!

Ob dieses Gespräch tatsächlich je in einem Studio-Konferenzraum stattgefunden hat, darf bezweifelt werden. Wahrscheinlicher ist, dass niemand bei klarem Verstand diesen Plot ernsthaft so „erdacht" hat – zumindest nicht ohne Zuckerflash, Alkohol und eine sehr, sehr große Packung Gummibärchen. Und doch beschreibt dieses absurde Brainstorming im Kern die Handlung von *KPop Demon Hunters*. Wirklich.

Wer jetzt mit den Augen rollt und denkt, das klinge nach *Twilight* in Lack und Glitzer oder wie ein *Barbie*-Animationsfilm für Achtjährige – irgendwo zwischen Einhorn-Fieber

und der ersten K-Pop-Phase – liegt so weit daneben, dass selbst die deutsche Sprache kein passendes Wort für diese Art von Fehleinschätzung kennt. Denn, kein Scherz: *KPop Demon Hunters* ist keine Plastikfantasie in Rosa, kein romantischer Dämonenschmalz, kein Highschool-Musical mit Hörnern. Dieser Film ist ein rasanter, herrlich durchinszenierter, überraschend cleverer Genre-Mix, der aus seiner Reißbrett-DNA – Girlgroup trifft *Buffy* trifft Dämonen trifft Boyband – tatsächlich einen Film macht, der funktioniert. Richtig gut funktioniert!

Er ist stylisch, temporeich, selbstironisch, punktgenau choreografiert und dabei in seiner eigenen, absurden Logik vollkommen stimmig. Die Songs sind catchy (sagt man das heute noch?), die Kampfszenen sind sauber geschnitten, die Animationen fantasievoll. Und das Beste: Der Film weiß ganz genau, was er ist – und was nicht. Er verkauft uns keine Moral mit dem Holzhammer, sondern feiert seine Figuren, ihre Konflikte und ihre tanzend dämonenvernichtende Coolness mit einer Spielfreude, die am Ende des Tages – verblüfft.

Dass dieser Film seinen Weg in den *Insider* gefunden hat, ist keineswegs selbstverständlich. Denn wir alle sind viel zu schnell bereit, uns unseren Vorurteilen hinzugeben. Wer – wie der Autor dieser Zeilen – bereits in einem Alter angekommen ist, in dem man im Kino gefragt wird, ob man schon den Seniorenrabatt in Anspruch nehmen darf, begegnet dem Stichwort „K-Pop" nicht unbedingt mit spontaner Euphorie. Vielmehr schleichen sich Sätze ins Hirn wie: „Ach, das ist doch nichts für mich", oder: „Das ist bestimmt wieder so ein quietschbuntes Rumgehopse mit tiefen Lebensweisheiten auf Kalenderblattniveau."

Und dann sieht man den Trailer. Stylische Bilder. Glänzende Oberflächen. Hochglanzästhetik bis in die letzte Pixelkante. Drei junge Frauen, deren Outfits aussehen, als hätte ein Algorithmus gleichzeitig das Glossy-Cover von *Vogue Korea*, einen Fantasy-Manga und eine Notiz aus der Hölle ausgewertet. Coole Moves, grelle Farben, eine tanzende Girlgroup, eine dämonische Boyband, alles laut, alles blitzend, alles – hip. Zu hip. Zu glatt. Zu cool. Und vor allem: Zu gewollt. Die erste Reaktion? Nicht: „Vielleicht ist das ja spannend." Sondern eher: „Oh Gott, bitte nicht."

Aber dennoch!

Der einzige Grund, warum der Autor dieser Zeilen überhaupt in diesen Film hineingeschaut hat, war: das Studio. Sony. Das klingt erst mal banal, aber Sony Animation hat in den letzten Jahren mit *Spider-Man: Into the Spider-Verse* und *Across the Spider-Verse* gleich zwei Filme abgeliefert, die nicht

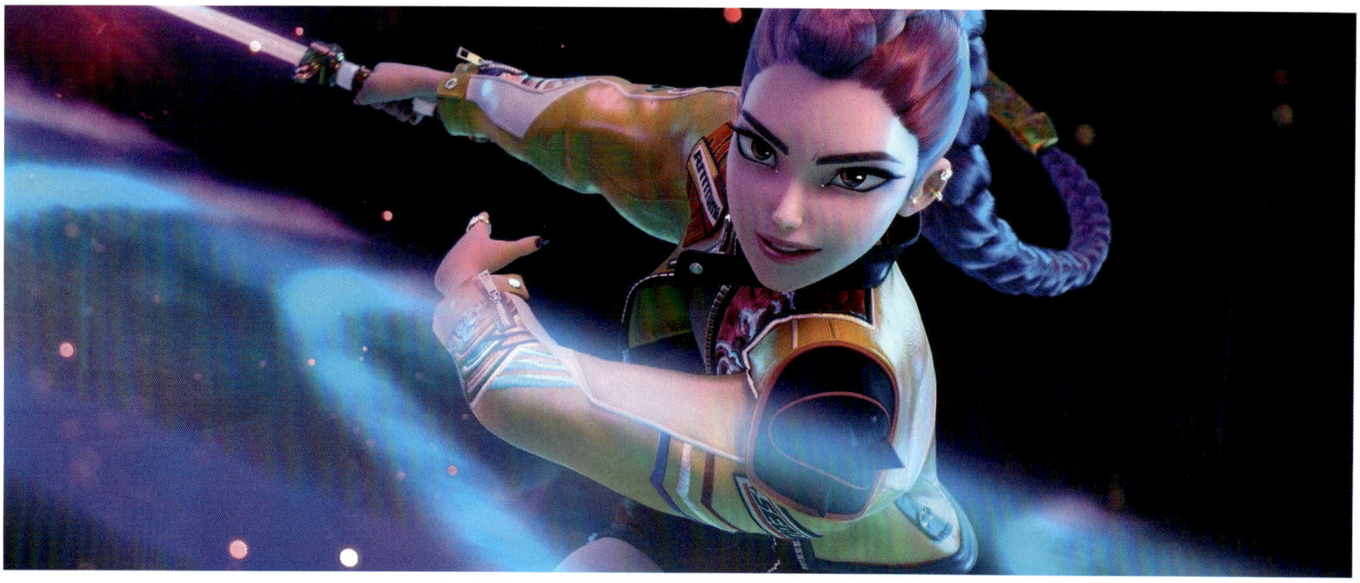

weniger als animierte Meisterwerke sind. Formal revolutionär, inhaltlich durchdacht, mutig, modern. Außerdem gab es da noch *The Mitchells vs. the Machines* – auf Deutsch *Die Mitchells gegen die Maschinen*, einen der großen Corona-Verlierer. Eigentlich sollte der Film ins Kino, doch der Pandemie wegen landete er auf Netflix. Was im Grunde ein Drama darstellt, denn dieses krachende Anarchieepos über eine dysfunktionale Familie, die im Alleingang eine Robokalypse aufhält, gehört zum Wildesten, Schrägsten und Herzlichsten, was das Animationskino der letzten Jahre hervorgebracht hat und ins Kino gehört hätte. Doch Corona wütete und Netflix sah seine Chance. Kurzum: Wer solch großartige Filme produziert, hat zumindest ein gewisses Grundvertrauen verdient. Selbst dann, wenn er einen Hupfdolenfilm mit Girlgroup-Kern, Dämonenrand und Boyband-Garnitur ankündigt. Und wenn es am Ende doch peinlich wird? Dann kann man wenigstens mit gutem Gewissen sagen: „Tja, Sony ist jetzt auch woke. Drei Boss-Girls und ein stylischer Kpop-Sängerknabe mit Dämonenhintergrund? Was für ein Drama." Denn machen wir uns nichts vor – wir alle neigen zu einer gewissen Schadenfreude, wenn jemand von ganz oben fällt. Der Mensch ist in seinem Innersten kein edles Wesen, sondern eher das emotionale Äquivalent zu einer Körperöffnung, die selten das Tageslicht sieht. Und der Trailer, der zu diesem Sony Animationsfilm auftauchte, ließ nun wirklich nicht gerade einen großen Spaß (mit sehr schönen emotionalen Szenen) erwarten. Der erste Eindruck ließ eher vermuten, Sony wolle nun den eingeschlagenen Kurs von Disney/Marvel/Lucasfilm mitgehen: Männer als Helden? Aus der Zeit gefallen. Jetzt sollen junge Frauen dem Patriarchat mal so richtig eine verpassen. So, wie man es eben nebenan macht, seit sich das einstige Maus-Imperium entschieden hat, die Farben der Regenbogenfahne als Fundament eines jeden Drehbuchs zu verwenden – inklusive interner Excel-Tabelle mit Pflichtdiversitätsquoten! Seit diese Entscheidung getroffen wurde, laufen die Produktionen jedoch eher - suboptimal. Die Streamingzahlen stagnieren, Kinoproduktionen floppen, und jedes zweite Internet-Kommentarspaltenwesen kichert sich in die Faust und ruft: *Go woke, get broke. Snow White, The Marvels, Der Acolyte, Strange World, Wish – mit dem Geld, das diese Filme verbrannt haben, könnten die skandinavische Filmindustrie bis 2050 monatlich eine neue Nordic Noir-Reihe auf den Markt werfen und am Ende bliebe immer noch Geld für einen Teelichterkauf bei Ikea übrig.*

Nun ist der Autor dieser Zeilen alles andere als jemand, der den Satz „Go woke, get broke" tatsächlich unterschreiben würde. „Go woke, get broke" ist in seiner stumpfen Einfältigkeit ungefähr so differenziert wie ein Vorschlag-

hammer im Porzellanladen – und ungefähr genauso hilfreich. Haltung ist wichtig. Haltung gehört zum Menschsein. Haltung kann Filme groß machen – The Matrix wäre ohne Haltung nur ein Shooter, Alien ein simpler Monsterfilm, ***Star Trek*** bloß Blech auf Brücke. Aber: Haltung ersetzt keine Handlung. Haltung ist kein Ersatz für Timing, für Figurenzeichnung, für Struktur, für Konflikt, für Herzblut. Wenn sie zum Selbstzweck wird, mutiert sie zur Missionierung – und das ist das Letzte, was Popkultur verträgt. Filme, die einem erst erklären wollen, wie die Welt funktioniert, bevor sie überhaupt erzählen, wie ihre eigene Welt aussieht, verlieren das Publikum. Nicht, weil das Publikum dumm ist – sondern weil es gelangweilt ist.

Alles richtig!

Genau an diesem Punkt macht *KPop Demon Hunters* alles richtig. Sony belehrt nicht. Sony erzählt. Der Film will nicht erziehen, sondern unterhalten – und gerade das macht ihn so entwaffnend sympathisch. Er präsentiert eine reine Heldinnengruppe, ohne daraus ein Thema zu machen. Er zeigt Selbstermächtigung, Freundschaft, Zweifel, Mut, Loyalität und ja, auch Liebe – aber nie mit dem Holzhammer, sondern in der Sprache des Pop. Tanz, Beat, Tempo, Witz. Das ist keine Moralpredigt im Glitzerkostüm, sondern pures Genre-Vergnügen mit Haltung im Subtext, nicht im Vordergrund.

Hinter diesem unerwarteten Filmvergnügen steht eine Autorin namens Maggie Kang, die selbst aus Seoul stammt, aber in Toronto aufgewachsen ist. Man kann nachlesen, dass sie Animation am renommierten Sheridan College studiert hat und bei DreamWorks als Storyboard-Artistin unter anderem an Filmen wie *Kung Fu Panda 3*, *Trolls* und *Shrek Forever After* mitwirkte. Sie wechselte schließlich zu Illumination, wo sie als Head of Story – also als dramaturgische Leiterin – Verantwortung für *Minions: The Rise of Gru trug; außerdem* war sie in leitender Position bei *The LEGO Ninjago Movie* tätig. *KPop Demon*

Hunters ist ihr Kind, die Verwirklichung ihrer eigenen Idee. Für den Film, den sie selbst als Liebesbrief an den K-Pop und ihre koreanischen Wurzeln versteht, holte Maggie Kang den erfahrenen Animationskünstler Chris Appelhans als Co-Regisseur an Bord. Appelhans hat seine Spuren vor allem im Character Design hinterlassen – etwa mit seinen frühen Entwürfen zu *Küss den Frosch*, deren Figuren stark von seinem Stil geprägt sind. Doch er ist weit mehr als ein ehemaliger Disney-Zuarbeiter: Als ausgezeichneter Kinderbuchillustrator und ausstellender Künstler bringt er einen Sinn für Bildkomposition mit, der über das Kino hinausweist. In *KPop Demon Hunters* finden sich immer wieder Szenen, die trotz aller Dynamik und Farbe für einen Moment innehalten und auch für sich allein bestehen könnten.

Appelhans' Regiedebüt *Wish Dragon*, eine chinesisch-amerikanische Co-Produktion, wurde 2021 pandemiebedingt ebenfalls zum Netflix-Titel – ein Film, der wie *KPop Demon Hunters* zwischen westlichem und fernöstlichem Erzählkino pendelt. Vielleicht lässt sich sein Gespür für diesen Balanceakt auf sein Privatleben zurückführen: Seine Frau Maureen Goo ist eine koreanisch-amerikanische Autorin, die unter anderem für Marvel Comics an der dritten *Silk*-Reihe gearbeitet hat – also einer Geschichte über eine Superheldin mit koreanischen Wurzeln. Es ist zwar gewagt, hierin einen direkten Einfluss auf *KPop Demon Hunters* zu vermuten – aber dass bei Appelhans ein gewisses Gespür für ostasiatische Tonalität und kulturelle Authentizität mitschwingt, überrascht nicht.

Die Handlung wurde in diesem Text ja bereits am Anfang – im vollkommen irren Pitch-Dialog – zusammengefasst und trifft den Kern der Handlung ziemlich genau.

Inhaltsangabe

Seit Generationen leben Dämonen von menschlichen Seelen, die sie ihrem feurigen Herrscher Gwi-Ma opfern. Drei Frauen aber durchbrachen einst seine Macht, indem sie mit der Kraft ihrer Stimmen eine magische Barriere errichteten: das Honmoon, das seither die Menschenwelt schützt. Diese Schutzaufgabe wird in jeder Generation weitergegeben – an drei junge Frauen, die mit Gesang, Kampfkunst und Haltung gegen das Böse antreten. In der Gegenwart übernehmen Rumi, Mira und Zoey diese Rolle – und tarnen sich als eine K-Pop-Girlgroup namens Huntrix, eine Band, die sowohl in der Dämonenjagd als auch den Charts Ausrufezeichen setzt. Wie Mira und Zoey zu ihrer Berufung kamen, bleibt vage. Mira war das klassische, aufmüpferische „Problemkind", das seine Wut heute kommerziell verwertet – mit ironischer Selbstreflexion. Zoey, aufgewachsen in den USA, ist das kreative Herz der Gruppe:

träumerisch und musikalisch hoch talentiert. Das Charakterdesign deutet an, dass sie auch nicht zu 100 Prozent koreanisch ist. Der Film deutet überhaupt vieles nur an, geht aber nie unnötig in die Tiefe – und das ist eine narrative Stärke. Denn was man über die Figuren wirklich wissen muss, wird in clever montierten Momenten vermittelt – etwa in Form eines einzigen, stilisierten Musikvideos. Das geht schnell – und reicht vollkommen aus. Im Mittelpunkt steht jedoch Rumi. Sie wurde von Celine, vermutlich einer früheren Jägerin, aufgezogen und ausgebildet – als das nächste Glied in der Kette. Sie weiß seit ihrer Kindheit um ihre Bestimmung. Rumi ist stark, klug, loyal – aber sie hat ein Geheimnis: Sie ist zur Hälfte Dämonin. Und das beginnt, sich zu zeigen. Beim Einspielen des neuen Songs Golden versagt ihre Stimme – nicht aus Erschöpfung, sondern aus Angst: Was, wenn ihre dämonische Herkunft über den Menschen obsiegt?

Währenddessen ist Gwi-Ma alles andere als erfreut über den jüngsten Rückschlag gegen Huntrix. Da hat er eine Gruppe Dämonen losgeschickt, um die jungen Frauen auf dem Weg zu einem Auftritt auszuschalten – und die haben aus dem Kampf einen großen Showaufritt gemacht. In seiner Wut öffnet ihm Jinu eine unerwartete Tür. Jinu, der einst ein Mensch war, hat einen Plan: keine Gewalt, keine klassischen Dämonenangriffe – sondern Musik. Gemeinsam mit vier weiteren Dämonen gründet er die Boyband Saja Boys und fordert Huntrix zu einem musikalischen Duell heraus. Nicht in einem Ring, nein, in den Charts, den sozialen Medien, überall dort, wo Huntrix daran gewohnt sind, ganz oben zu stehen. Wenn er gewinnt, wird Gwi-Ma als Dank seine Erinnerungen auslöschen. Warum das sein Wunsch ist – bleibt lange unklar. Nur so viel: Auch Dämonen tragen manchmal schwer.

Klingt absurd? Ist es auch. Und doch funktioniert es grandios.

Keine Rückblenden-Orgie

Denn **KPop Demon Hunters** macht vieles richtig – gerade weil er vieles weglässt. Die Geschichte ist geradlinig, fokussiert, schnörkellos. Kein unnötiger Ballast, keine Rückblenden-Orgien, keine umständlichen Welterklärungen. Der Film erzählt nur, was nötig ist – und traut seinem Publikum zu, die Leerstellen mit der eigenen Popkultur-Erfahrung zu füllen. Wir wissen, wie Superhelden funktionieren, weil wir alle DC- und Marvelfilme in den letzten bald 20 Jahren gesehen haben. Wir wissen, wie haushaltsübliche Dämonen funktionieren, weil wir alle 100 Serien und 1000 Filme gesehen haben, die nach vorgegebenen Mustern funktionieren. Wir brauchen keine viertelstündigen Backstorys mit Tränen und Voice-over. Hier gilt: Zack, zack, zack – und zwar im besten Sinn.

Rumi und Jinu tragen derweil die emotionale Ebene des Films – aber ohne Kitsch, ohne Pathos, ohne Twilight-Gesäusel im K-Drama-Gewand. Beide bleiben verletzlich, aber nie peinlich. Dadurch wirkt ihre sich anbahnende Verbindung glaubwürdig, ihre inneren Konflikte bleiben nachvollziehbar. Man fühlt mit ihnen – nicht, weil es romantisch sein soll, sondern weil es emotional greifbar ist.

Und dann ist da die Musik. Klar, das ist K-Pop – aber eben nicht nur. Die Songs erlauben sich auditive Ausflüge in anglo-amerikanische Chartsphären, was jenem Teil des Publikums den Zugang leichter macht, das mit K-Pop ansonsten eher auf höflicher Distanz lebt. Der eigentliche Clou aber liegt woanders: In den Momenten, in denen die poppigen Beats ganz elegant mit einem klassischen Orchester-Score verschmelzen. Das klingt nicht nur gut, das verhindert auch, dass der Film jemals wie ein auf Spielfilmlänge gestrecktes Musikvideo wirkt. Dass der Film ganz nebenbei noch charmant mit einem leicht sarkastisch-ironischen Unterton die Liebe nicht nur der Koreaner zu Idol-Shows persifliert, indem er diese Bühne zum ultimativen Boxring zwischen den Jägerinnen und Dämonen hochstilisiert, sei nur am Rande der Vollständigkeit wegen erwähnt.

Da ist der Autor platt!

Was soll man sagen? Begeisterung war das Letzte, was der Autor dieser Zeilen von diesem Film erwartet hätte. Wirklich nicht. Die Erwartungen lagen irgendwo zwischen „unangenehm berührt" und „intensiver Fremdscham mit auditiver Reizüberflutung". Und doch: *KPop Demon Hunters* ist der bislang charmanteste Film des Jahres. In weniger

als 90 Minuten (plus Abspann) gelingt es diesem Film, eine absurde Prämisse in ein vibrierendes, temporeiches, clever inszeniertes Vergnügen zu verwandeln, das mit Witz, Herz, Wumms und einem Hauch bittersüßer Melancholie daherkommt. Denn ja, Rumi und Jinu, diese beiden zwischen den Welten, Pflicht und Gefühl taumelnden Figuren, berühren. Ohne dass man sich schämen müsste, wie bei einem anderen Franchise, in dem ein glitzernder Untoter mit dem Emotionsspektrum eines Brokkoli als Romantik-Ideal verkauft wird. Hier wirkt alles erstaunlich ehrlich, überraschend warm und herrlich unverkrampft. Die Musik? Reißt mit. Die Bilder? Großartig. Der Humor? Punktgenau. Die Moral? Gibt es, aber sie winkt freundlich aus dem Hintergrund, anstatt wie ein Oberstudienrat mit dem Zeigestock zu wedeln. Kurzum: Wer nach dem Anschauen des Trailers dachte, *KPop Demon Hunters* klinge wie ein Unfall zwischen TikTok, Anime und der Apokalypse auf Zucker und sich schwor, lieber einen Löffel Zyanid zu lutschen, als das anzusehen – der sollte diese Einschätzung dringend überdenken. Vielleicht ist es kein Film für die Ewigkeit. Aber es ist einer, der für rund 90 Minuten verdammt viel Spaß macht.

Christian Lukas

WELCH EIN IRRITIERENDER ABSTIEG!_

SERIEN INFO:

Dauer: 6-18 min.
Folgen: 10
Produktion: USA/GB
Streaming: Netflix
Release Date: 2025
Showrunner: Tim Miller, David Fincher

Lasst uns einmal über Enttäuschungen sprechen. Zum Beispiel über die aktuelle Staffel von Love, Death & Robots. Die vierte Staffel ist es. Man schaut sie schnell weg. Sie tut nicht wirklich weh. Aber was bleibt in der Erinnerung haften? Vielleicht, dass die Red Hot Chilli Peppers wie ein guter Wein nicht älter, sondern nur reifer werden? Die spielen in dieser Staffel nämlich mir. Irgendwie zumindest. Und ihre Musik kann sich wahrlich immer noch hören lassen. Aber ist es das, wofür Love, Death & Robots einmal stand?

Die Serie war mal ein Versprechen: Animation für Erwachsene, die ebenso auf Gags wie auf Gedanken setzt. Kein durchgehender Plot, sondern ein Episodenformat mit viel Spielraum für Genre, Stil und Wahnsinn. Sci-Fi, Horror, Satire, manchmal alles auf einmal – produziert unter anderem von Tim Miller (*Deadpool*) und David Fincher (*Fight Club*) sowie mit teils namhaften Autoren als Storylieferanten. Einer der auffälligsten war John Scalzi, der mehr als nur ein bisschen Humor in die dystopischen Settings brachte. Gerade die Folgen mit den drei robotischen Touristen oder die überdrehte Landwirt-Mech-Action stammten aus seiner Feder – und sie zählten zu den Höhepunkten der ersten Staffeln.

So frisch, so frei, so kompromisslos sieht man Netflix selten. Visuell atemberaubend, erzählerisch überraschend, mal witzig, mal brutal, mal einfach nur schön. Ein Anthologie-Format, das die kurze Form ernst nahm und dennoch Eindruck hinterließ. Doch mit dieser vierten Staffel steht die Frage im Raum: Wo ist dieser Impuls geblieben? Die vierte Staffel ist technisch immer noch top, darüber müssen wir gar nicht reden. Aber inhaltlich hat sie so gut wie nichts zu bieten. Da hilft auch der Einsatz musikalischer Altstars wenig. Was vor zwei Jahren noch wild und experimentell war, wirkt heute wie ein routiniertes Showreel talentierter Animationsstudios – hübsch, aber ohne Nachbeben.

Musikvideos?

So reibt man sich nach der ersten Episode *Can't Stop* verwundert die Augen. War das – ja, ist das ein Musikvideo? Ja, das ist es. Die Red Hot Chili Peppers spielen *Can't Stop* aus dem Jahr 2002 live auf einer Bühne. Okay, es gibt einen Twist: Die Red Hot Chili Peppers sind Marionetten. Und auch das gesamte Publikum besteht aus Marionetten. David Fincher, der bekanntlich als Regisseur von Musikvideos seine Karriere begann, hat hier eine Mischung aus Motion Capture und digitaler Animation aufgefahren. Das heißt, echte Puppenspieler haben mit echten Puppen gespielt, die Bewegungen wurden aufgenommen und dann – verfeinert, verzigfacht, den Puppen wurden Gesichter aufgetragen, die jene Mimik zulassen, die traditionelles Puppenspiel nicht erzeugen kann.

Wäre dies ein normales Musikvideo, das abends auf Deluxe Music liefe, würde man vermutlich tatsächlich mal hinschauen und die Macher für ihr Talent loben. Das alles sieht klasse aus, und dass angedeutet wird, dass die Marionetten sich ihres Marionettendaseins bewusst sind, ist ja auch ganz niedlich. Aber nach etwas über fünf Minuten ist das Lied vorbei – und es bleibt ein großes Fragezeichen stehen. Abgesehen davon, dass Can't Stop als Technikschau ein paar echte Schauwerte bietet – welchen Mehrwert bringt sie in eine Anthologieserie ein, die sich doch mal dem Unerwarteten, dem Abgründigen, dem Visionären verschrieben hatte?

Stattdessen wirkt *Can't Stop* wie ein zu lang geratenes Easter Egg für Fincher-Fans, ein augenzwinkernder Ausflug in die Vergangenheit, der hier aber komplett ohne erzählerischen Kontext dasteht. Kein „Love", kein „Death", vielleicht ein kleiner Hauch von „Robots". Ansonsten ist dies eine stylische Hülle. Und so ist diese erste Episode fast symptomatisch für die gesamte Staffel: gut gemacht, aber leer. Man wartet auf den Funken, der überspringt. Auf die Idee, die einem im Gedächtnis bleibt. Auf diesen einen Moment, bei dem man denkt: *Das traut sich sonst keiner.*

Fader Aufguss

Unheimliche Begegnung der winzigen Art wäre eigentlich eine Episode, die die Ansprüche an die Serie erfüllen könnte. Konjunktiv. In etwas über fünf Minuten erzählt sie von einer Alieninvasion. Der Witz an der Inszenierung besteht darin, dass all dies in einer Miniaturwelt stattfindet, in der die Menschen kaum mehr als Minifigürchen darstellen - als würde in einer Miniatureisenbahnwelt ID4 nachgestellt. Oder eigentlich Mars Attacks von Burton. Und das konsequent im Panoramablick, der alle Geschehnisse einfängt.

Das Problem der Episode stellt die Tatsache

dar, dass sie im Grunde nur eine Variation von *Night of the Mini-Dead* aus Staffel 3 ist – jenes Kurzfilmchen, das in etwas über fünf Minuten Spielzeit die komplette Laufzeit aller Zombiefilme der letzten 56 Jahre zusammengefasst hat. War *Night of the Mini-Dead* eine regelrechte Sensation, ist dieses *Wouh*-Momentum natürlich längst verflogen.

Und dann begeht die neue Episode auch noch einen Fehler. So absurd die Darstellung einer Zombieapokalypse in *Night of the Mini-Dead* auch aussehen mag: Die Geschichte – wenn man dieses Konglomerat aus Szenen so nennen möchte – orientiert sich pedantisch an ihren realen Vorbildern. Die satirische Überhöhung entsteht aus der Art der Inszenierung, nicht aus dem Inhalt. Und diesen nehmen die Macher durchaus ernst – soweit das in einem solchen Rahmen eben möglich ist. Das ist *Dawn of the Dead* – auf LSD, mit Minifiguren.

Unheimliche Begegnung der winzigen Art ist bedauerlicherweise eher eine Variation von, wie bereits erwähnt, *Mars Attacks*. Ja, *Mars Attacks* hat seine Fanbase, keine Frage. Aber es gibt eben auch die andere Fraktion, die mit dem Film so gar nichts anfangen kann – und das lässt sich leicht erklären. *Mars Attacks* ist eine Persiflage – und weiß das auch. Nichts an diesem Film ist echt, alles ist überhöht, lächerlich, satirisch. Und genau deshalb kommt auch keine Spannung auf. *Mars Attacks* war ein laues Kinolüftchen – *Independence Day* dagegen ein Blockbuster.

Independence Day nimmt sich absolut ernst. So banane die Geschichte in vielen Belangen auch wirken mag (man darf wirklich über viele Handlungsstränge nicht allzu lange nachdenken), ist der Film phänomenal. Warum? Weil er Figuren hat, mit denen wir mitfiebern können. Wer rettet denn die Welt? Ein Typ, dessen Karriere am Ende ist, weil er eine Stripperin datet. Ein abgebrochenes Computergenie, das eigentlich nur seine Ruhe haben will. Ein Säufer, den niemand ernst nimmt und der am Ende den ultimativen Opfertod stirbt – nicht ohne den Aliens grinsend in ihre Invasionsgesichter zu lachen. Und dann ist da noch der Präsident, der selbst im Bomber sitzt und den Aliens eine reinwürgt. Was auf eine sensationelle Weise so einen Spaß macht, weil das alles so ernst inszeniert ist, als hätte Roland Emmerich Shakespeare verfilmt (was er dann einige Jahre später leider wirklich „irgendwie" getan hat).

ID4 in der MAGA-Version? Der Fanta-Mann erzählt, er habe einen wundervollen Deal gemacht, und die Aliens würden nur Europa, Kanada, Mexiko und die bösen Heard- und McDonald-Inseln mit ihren bösen Pinguinen überfallen. Im Grunde wäre genau das die Geschichte für *Love, Death & Robots*. Entschieden hat man sich jedoch für *Mars Attacks* als Vorbild – einen Film, der seinerseits klassische Invasionsfilme zitiert, nur leider nicht in gut. Ja bitte, das Filmchen ist schnell vorbei. Von der Klasse seines Zombie-Äquivalents ist es aber leider eine Sonnenteruption weit entfernt.

Schnuppelchen

Spider Rose ist eine Geschichte, die im Universum der Episode *Swarm* aus Staffel 3 angesiedelt ist. Eine Kopfgeldjägerin mit sichtbar brutaler Vergangenheit will mit einer Alien-Rasse einen Rohstoff-Deal abschließen. Ihr Verhältnis zu diesen Wesen ist – sagen wir – kompliziert. Sie lässt sich auf eine Wartezeit ein und bekommt zur Ablenkung eine Art Haustier überreicht. Ein Wesen, das sich äußerlich den Erwartungen der Spezies anpasst, bei der es gerade lebt. Bei ihr wird es bald zum kleinen Flauschischnuppel – ein putziges Alien-Tamagotchi gegen die Einsamkeit.

Das alles ist hübsch gemacht, keine Frage – der Animationsstil ist solide, stellenweise sogar beeindruckend, aber sicher nicht überwältigend. Problematisch ist eher: Die Episode baut ein fettes Szenario auf, lässt viele Andeutungen über die Vergangenheit der Protagonistin und die Absichten der Aliens fallen, streut ordentlich Worldbuilding – nur um dann in einen ziemlich vorhersehbaren Schlussgag zu münden. Alles läuft auf eine eher mäßig erstaunliche Pointe hinaus, für die man sich das ganze Drumherum hätte sparen können.

Apokalypse und Titanen

The 400 Boys entführt uns in eine dystopische Zukunft, in der sich diverse Straßenbanden – stilistisch irgendwo zwischen Akira, Mad Max und einem TikTok-Filter – eigentlich feindlich gegenüberstehen, dann aber ihre Animositäten Animositäten sein lassen, um gemeinsam gegen gigantische,

alles zermalmende Titanen anzutreten. Warum? Weiß man nicht so genau. Vielleicht, weil sonst gar nichts mehr da wäre, worum es sich zu prügeln lohnt.

Ach ja, und dann ist da noch die Telekinese. Viel Telekinese. Woher sie kommt, bleibt nebulös, aber sie sorgt immerhin dafür, dass Dinge durch die Luft fliegen. Menschen, Autos, mal auch nur ein Blick. Der Animationsstil ist dabei – sagen wir – reduziert. Kein überflüssiges Detail stört die Übersicht, alles ist klar konturiert und fast schon steril, als hätte jemand beim Designmeeting gerufen: „Lasst uns Stylisch machen – aber bloß nicht interessant!"

Die Folge ist visuell hektisch, voller Bewegungsenergie und schräger Kamerawinkel, aber emotional leider ziemlich leer. Man guckt zu, registriert, dass da irgendwas passiert – aber mitreißend ist das alles nicht. Es fehlt ein Puls, ein Haken, irgendwas, das hängen bleibt. Man schaut es, wie man ein Musikvideo im Hintergrund laufen lässt: Das ist schon ganz nett – aber wenn es vorbei ist, fragt man sich, ob man sich gerade wirklich 18 Minuten lang auf etwas eingelassen hat, das sich wie fünf anfühlt – und das nicht im positiven Sinne.

Es gibt Gutes zu vermelden!

Womit wir endlich bei The Other Large Thing

wären – oder, auf gut Deutsch, Das andere große Ding. Und damit sind wir bei einer wirklich großartigen Geschichte, die im allerbesten Sinne im Gedächtnis bleibt. Auf den ersten Blick ist das nur eine charmante Episode mit einem pelzigen Hauptdarsteller. Aber wer genau hinschaut, erkennt: The Other Large Thing ist eine Vorgeschichte zu den Three Robots-Episoden der ersten drei Staffeln – jenen kleinen Meisterwerken, in denen sich drei Roboter lakonisch und sarkastisch durch eine postapokalyptische Welt voller menschlicher Dummheit bewegen. Und wer war damals eigentlich Schuld am Ende der Menschheit? Genau – die Katze.

Die Geschichte stammt aus der Feder von John Scalzi, und auch wenn man ihr vorwerfen könnte, dass die Pointe sich früh abzeichnet, ist das völlig egal. Denn was hier zählt, ist nicht das „Was", sondern das „Wie". Und das „Wie" ist – hinreißend. Im Mittelpunkt steht Sanchez, ein zutiefst melancholischer, leicht depressiver Perserkater, der darunter leidet, von zwei bedauernswerten Idioten auf zwei Beinen abhängig zu sein. Diese füttern ihn zwar, geben ihm ein warmes Zuhause und kraulen ihn regelmäßig – aber sie sind, aus seiner Sicht, eben auch: dumm wie Thunfisch aus der Dose.

Als die beiden beschließen, sich für ihre Hausarbeit einen Roboter zu kaufen – um mehr Zeit für ihre Schlafzimmerabenteuer zu haben, die Sanchez verständlicherweise mit keinem Gedanken weiterverfolgen will – ändert sich plötzlich alles. Denn dieser Hausroboter ist lernfähig. So lernfähig, dass er mit seiner Außenwelt kommunizieren kann – sprachlich. Er lernt die Sprachen der ihn umgebenden. Und ja, er lernt auch Katzisch! Jemand, der Sanchez wirklich ver-

steht. Nicht so ein schleimiges, käsiges Käse-mäßiges „Verstehen", sondern ein echtes, tiefes, resonanzfähiges Miteinander auf Augenhöhe – naja, fast. Denn der Roboter wurde so programmiert, dass er immer tun muss, was die Personen in seinem Umfeld zu ihm sagen. Hat ja niemand gesagt, dass die Personen nur Menschen sein dürfen.

Was folgt, ist eine bitterböse, hochkomische und dennoch wunderbar elegante Geschichte darüber, wie es kam, dass Roboter und Katzen am Ende die Welt übernahmen – oder zumindest, warum sie sich ganz gut miteinander arrangieren konnten, nachdem die eigentlichen Bewohner der Erde sich selbst aus dem Spiel genommen hatten.

The Other Large Thing ist genau das, was der Titel verspricht: ein großes Ding. Vielleicht nicht so laut oder schrill wie manche anderen Episoden, aber klug, charmant, witzig – und dank John Scalzis messerscharfem Humor das Highlight dieser ansonsten so enttäuschenden Staffel, die mit Golgotha gleich noch eine lustige Episode nachschiebt, die leider daran krankt, überhaupt nicht lustig zu sein. Oder wenigstens amüsant. Was daran liegen könnte, dass sie wenig Sinn ergibt.

Da ist ein Pfarrer aus der Provinz, der mit den Lupo, Besuchern aus einer anderen Welt, sprechen soll. Warum? Weil eine Prophezeiung das sagt. Oder ein Delfin. Oder vielleicht ein telepathisches Trugbild, das sich als kosmischer Witz tarnt. Jedenfalls

wird ihm die Rolle des intergalaktischen Vermittlers übertragen.

Das alles könnte ja funktionieren, wenn die Story Tempo hätte oder auch nur ein Gefühl dafür, worüber sie sich eigentlich lustig machen will. Stattdessen hangelt sie sich von einer absurden Szene zur nächsten, serviert schräge Dialoge und pseudotiefsinnige Andeutungen, ohne je ins Schwarze zu treffen. Das ist weder Satire noch Komödie, sondern einfach nur ein bizarrer Ideenstapel, dem der rote Faden fehlt – und, schlimmer noch, der Witz.

Saurier gehen immer

Der Schrei des Tyrannosaurus ist eine Technikleistungsschau, Animation auf Kinoniveau. Zur Erheiterung einer illustren Hochzeitsgesellschaft irgendwo in den Tiefen unseres Sonnensystems liefern sich Gladiatorinnen und Gladiatoren ein Ben-Hur-Rennen mit allerlei geklonten Sauriern. Die Auslassung tieferer Charakterzeichnungen ist hier ausnahmsweise kein Problem – die Figuren werden konsequent auf das reduziert, was in diesem Szenario zählt: Auf den Moment. Trotz der Cyber-Optik erinnert die Episode an eine Geschichte aus Metal Hurlant und kann zumindest für sich beanspruchen, nie langweilig zu werden. Das alles ist präzise inszeniert, visuell opulent und verneigt sich mit Nachdruck vor den Heavy Metal-Filmen von 1984 und 2001, die immer schon als ein Pate für Love, Death & Robots gehandelt wurden – aber nie so deutlich wie hier.

Langweilig!

Bevor dieser Text jedoch versöhnlich wird, kommen wir zu Wie Zeke zur Religion fand. Die Nazis, also die echten, sind mal wieder dabei, Dämonen zu erwecken. Es

ist 1944, der Krieg befindet sich in seiner entscheidenden Phase und der Ort, an dem die Dämonenbeschwörung stattfindet, befindet sich in Frankreich hinter den deutschen Linien. Die Amerikaner senden einen Bomber auf eine Selbstmordmission, um die Nazis von ihrem Tun abzuhalten. Das Problem der Episode ist das vollkommene Fehlen eines Fokus. Gäbe es im Titel nicht den Namen Zeke, man wüsste nicht, wer die Hauptfigur der Episode ist, weil sie es selber nicht weiß. Jede Figur bekommt ihre Zeit, aber was wir in der Zeit über die erfahren, bringt die Story nicht wirklich voran. Wichtig ist eigentlich nur zu wissen, dass Zeke, ein dunkelhäutiges Crewmitglied, nicht an Gott glaubt und letztlich der einzige Atheist an Bord ist. Der Rest ergibt sich im Grunde aus dem Titel. Positiv kann man möglicherweise anmerken, dass die Geschichte Anfang, Mitte und Ende hat, was jedoch auch auf jede Derrick-Episode zutrifft. Dramaturgisch ruckelt das alles auf jeden Fall so sehr, dass das Ruckeln der Geschichte alleine den Bomber bereits zum Absturz bringen könnte. Da braucht es keine Nazi-Flak.

Nochmal Scalzi und das Ende

Noch einmal darf immerhin John Scalzi für Schmunzler sorgen – auch wenn *Smart Appliances, Stupid Owners* keine wirkliche Geschichte erzählt. Im Stil einer Mockumentary schildert die Episode den Alltag intelligenter Haushaltsgeräte – und wenn die Toilette irgendwann fragt, wer überhaupt auf die absurde Idee gekommen ist, ein Klo mit künstlicher Intelligenz auszustatten, möchte man das arme Keramikding am liebsten tröstend in den Arm nehmen.

Smart Appliances, Stupid Owners ist charmant, pointiert und streckenweise wirklich komisch. Die Episode funktioniert weniger als klassische Erzählung, sondern eher als satirische Momentaufnahme, als kabarettistischer Zwischenton im größeren Universum von *Love, Death & Robots*. Und ja – man kann das Ganze durchaus als ein Sidequel zu den *Three Robots*-Episoden lesen. Denn spätestens das intelligente Klo liefert einen nachvollziehbaren Grund dafür, warum die Maschinen irgendwann kollektiv beschlossen haben, dass es mit den Menschen reicht.

Ganz anders, aber zumindest visuell ambitioniert, ist: *For He Can Creep*. Die letzte Episode stammt vom japanischen Studio Polygon Pictures – das sich bereits für die *Godzilla*-Animationsfilme auf Netflix verantwortlich zeigte – und das merkt man sofort. Die Optik wirkt wie aus einem Guss: düster, kantig, klar stilisiert. Doch so sehr die Animation auch überzeugt, der Erzählrhythmus lässt zu wünschen übrig. Dabei ist *For He Can Creep* nicht einfach nur eine visuelle Spielerei: Die Geschichte ist sogar vergleichsweise komplex.

Wir schreiben das Jahr 1757. London. Ein Mann, nur „der Poet" genannt, sitzt in einer Anstalt. Er arbeitet an einem Gedicht, das – so die Legende – die Geheimnisse des Universums entschlüsseln könnte. Sein einziger Vertrauter: der Kater Jeoffrey, der sich Tag für Tag Zugang zu seiner Zelle verschafft. Was der Poet nicht weiß: Jeoffrey wacht über ihn. Und das ist auch nötig – denn niemand Geringeres als der Teufel persönlich hat es auf das Gedicht abgesehen.

Was so vielversprechend beginnt, verliert sich leider in einer überhasteten Dramaturgie. Die Ereignisse scheinen weniger erzählt als abgearbeitet zu werden, und obwohl Katzen bekanntlich mysteriöse Wesen sind – dass sie ohne Erklärung wissen, was zu tun ist, wirkt arg konstruiert und basiert darauf, das das Drehbuch das so will, nicht aber die Erzählung, die zu diesem Punkt der Handlung geführt hat. Und doch: Im Gegensatz zu den meisten anderen Folgen dieser Staffel bemüht sich *For He Can Creep* wenigstens um eine echte Geschichte, um Atmosphäre, um Eigenständigkeit. Und allein dafür verdient sie Anerkennung.

Fazit zur Staffel

Staffel 4 von *Love, Death & Robots* wirkt seltsam zerrissen – ambitioniert, aber oft halbgar. Die großen Themen sind da: Mensch und Maschine, Einsamkeit, Macht, Hybris, Fremdheit. Doch fast alle Episoden scheinen ihre Ideen lieber andeuten zu wollen als auszuformulieren. Einige Geschichten laufen auf austauschbare Gags hinaus, andere ersticken an ihrer eigenen Prätention. Zwischen technischen Kabinettstückchen und erzählerischem Leerlauf sticht ausgerechnet eine Katze als Lichtblick hervor – *The Other Large Thing* liefert Humor, Herz und Haltung. Und das ist vielleicht die größte Ironie dieser Staffel: Dass ausgerechnet ein pelziger Perserkater uns zeigt, wie gute Science-Fiction funktioniert.

Christian Lukas

NICHT GERADE EIN HÖHEPUNKT FÜR GUY RITCHIE

FILM INFO:

Dauer: 125 min.
Produktion: USA/GB/F
Streaming: Apple TV
Release Date: 2025
Showrunner: Guy Ritchie
Darsteller: Natalie Portman, John Krasinski, Domhnall Gleeson, Carmen Ejogo, Eiza Gonzales, Laz Alonso

Hat eigentlich irgendjemand mitbekommen, dass auf AppleTV+ ein neuer Guy-Ritchie-Film gestartet ist? Keine kleine Fingerübung zwischen zwei Projekten, in der sich ein Blockbuster-Regisseur mal eine künstlerische Auszeit gönnt oder mit stilistischen Spielereien experimentiert, die Streaming-Dienste gern ins Programm nehmen, um sich für Filmpreise in Stellung zu bringen. Nein, *Fountain of Youth* ist eine richtig großbudgetierte Produktion mit Natalie Portman und John Krasinski in den Hauptrollen. Fast zeitgleich zur viel beachteten Premiere der Paramount+-Serie *Mobland*, für die Ritchie als Produzent und Teilzeit-Regisseur mit Pierce Brosnan, Helen Mirren und Tom Hardy eine fast unverschämt großartige Besetzung aufbietet, ist auf AppleTV+ *Fountain of Youth* erschienen – und niemand hat es wirklich mitbekommen. Während *Mobland* in Kritiken und Feuilletons breit besprochen wurde, ist *Fountain of Youth* still und leise im Stream versickert.

Zunächst eine ganz kurze Zusammenfassung der Handlung: Luke ist ein Schatzjäger, und er hat mit seinem neuen Job den Jackpot geknackt: Für den Milliardär Owen Carver soll er nichts anderes als die Quelle des ewigen Lebens finden. Die Ressourcen, die ihm zur Verfügung stehen, sind enorm. Allerdings braucht er für den Job die Hilfe seiner Schwester, die so gar nicht davon begeistert ist, dass ihr Bruder es mit der Ehrlichkeit nicht so genau nimmt.

Selten hat ein Film so viel Talent vergeudet wie ***Fountain of Youth***. Natalie Portman, John Krasinski in einem Film von Guy Ritchie? Entschuldigung, aber das muss doch rocken, das kann doch eigentlich gar nicht daneben gehen. Ritchie hat zuletzt mit ***The Ministry of Ungentlemanly Warfare*** und seiner Serie ***The Gentlemen*** gezeigt, dass er es immer noch kann – britisch, bissig, pointiert. Dass ***The Ministry of Ungentlemanly Warfare*** finanziell nicht viel gerissen hat, ist der schönen, neuen Filmwelt zu verdanken, in der Streamer den Ton angeben und man als Kinofan überhaupt noch froh sein muss, wenn Filme von der Größe von ***The Ministry of Ungentlemanly Warfare*** überhaupt noch einen Gnadenstart auf der großen Leinwand erhalten. Amazon hat den Film produziert und lieber im Stream groß rausgebracht.

Ritchie ist ein erstaunliches Arbeitstier. Fast jedes Jahr haut der Mann eine aufwendige Produktion raus, und er arbeitet mit großen Budgets. 180 Millionen soll AppleTV+ in ***Fountain of Youth*** investiert haben. Allerdings zeigt auch dieser Spielfilm das Problem von AppleTV+ bei seinen Eigenproduktionen auf: Wenn es ums Thema Serie geht, da kann der Apfelkonzern was beziehungsweise da haben seine TV-Verantwortlichen ein Näschen für die richtigen Stoffe. Man produziert wenig, aber das, was man produziert, hat Stil. Ob ***For All Mankind***, ***Silo***, ***Foundation***, ***Severance***, aber auch eine Agentenserie wie ***Slow Horses***, sie alle bewegen sich auf einem ganz hohen Niveau auf allen Ebenen – narrativ, visuell, schauspielerisch. Und das alles, ohne sich anzubiedern. Gerade eine Serie wie ***Severance*** ist sperrig – aber gerade das macht offenbar ihren Reiz beim Publikum aus, sonst wäre sie kaum so erfolgreich.

Geht es um das Thema Spielfilm, redet man jedoch in der Regel über Totalausfälle. Ja, ***The Gorge*** war richtig gut, doch nicht selten wirkt das, was AppleTV+ da liefert, wie ein Schaulaufen teurer Stars in mäßigen Stoffen – Hochglanz mit Hohlraumversiegelung. Chris Evans etwa durfte in ***Ghosted*** den romantischen Actionhelden geben, doch der

Film verpuffte trotz Starpower und Bombast spürbar – ein Paradebeispiel für Streaming-Kino mit viel Budget, aber wenig Nachhall. ***Cherry*** von den Russo-Brüdern und mit Tom Holland prominent besetzt, versuchte sich als düsteres Kriegsheimkehrer-Drama und wirkte dabei wie ein studentischer Scorsese-Abklatsch mit TikTok-Filter. Und ***Finch***, ein Endzeitfilm mit Tom Hanks und einem sprechenden Roboter, hatte zwar wirklich Herz, aber so viel Tempo wie eine PowerPoint-Präsentation auf Windows 3.1. Auch andere Prestige-Projekte versickern regelmäßig unbemerkt im Katalog. Einzig ***Napoleon*** von Ridley Scott hat AppleTV+ tatsächlich einmal die ganz große Aufmerksamkeit geliefert; ob der Film gut ist, das steht aber auf einem anderen Blatt. Und nun also hat man sich also Guy Ritchie gegönnt.

Eine längere Inhaltsangabe

Luke (Krasinski) ist also ein Dieb. In Thailand hat er ein Bild geklaut und in London stiehlt er ebenfalls eines. Hier ist es ein Rembrandt.

Den aber stiehlt er nicht irgendwo. Er stiehlt ihn in dem Museum, in dem seine Schwester Charlotte (Natalie Portman) als Kuratorin arbeitet. Die verliert denn auch prompt ihren Job, da man ihr nicht glaubt, nichts mit der Sache zu tun zu haben. Was Luke so eingeplant hat. Er braucht Charlottes breites archäologisches, kunsthistorisches Wissen, denn dieser Mann, für den er arbeitet, der Milliardär Owen Carver, ist bereit, für die Suche nach der Quelle des ewigen Lebens viel, viel Geld zu investieren. Carver (Domhnall Gleeson) gibt die Erklärung für seine Suche selbst: Er hat Magenkrebs und nicht mehr lange zu leben, denn selbst mit all seinem Geld gibt es kein Medikament für ihn, das ihn heilen könnte. Wenn es die Quelle gibt, hat er eine Chance, wenn nicht, erlebt er zumindest ein großartiges, letztes Abenteuer. Die Diebstähle stehen derweil mit der Suche in einem direkten Zusammenhang. In den Bildern sind Hinweise versteckt. Rembrandt und diverse seiner Zeitgenossen haben eine Art Lageplan verfasst. Sie wussten von der Quelle. Selbst aber haben sie sie nicht für sich in Anspruch genommen. Warum eigentlich nicht?

Verschenkt

In dieser Geschichte steckt ein charmantes Abenteuer. Und so fängt der Film auch mit einer spektakulären Actionsequenz in Bangkok an, der direkt eine weitere Actionsequenz in einem Zug folgt – die im Vergleich zu einer schließlich folgenden Autojagd durch enge Gassen in London fast schon zahm wirkt. Der Film kennt in den ersten 25 Minuten keinen Stillstand. Spektakel folgt auf Spektakel. Und wie es sich gehört, wird gleich auch eine Gegenspielerin eingeführt: Esme (Eiza González Reyna) ist eine geheimnisvolle Schönheit, die aber offenbar

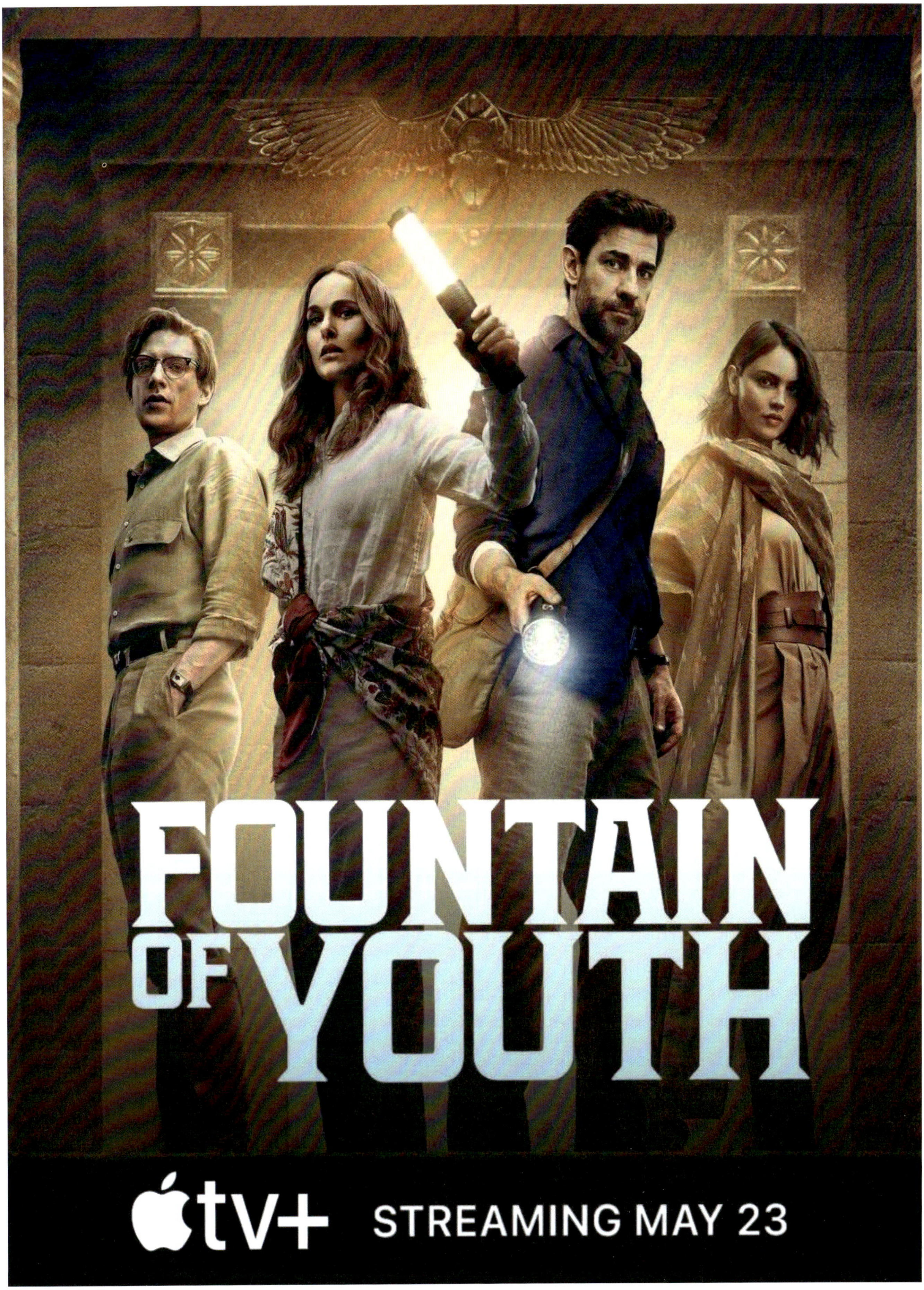
FOUNTAIN
OF YOUTH
tv+ STREAMING MAY 23

nicht im Auftrag derer arbeitet, denen Luke das Bild in Thailand gestohlen hat. Offenbar agiert sie für eine weitere, noch unbekannte Macht. Das alles macht extrem Laune - doch dann bricht der Film vollkommen in sich zusammen.

Statt cleverer Dialoge und markanter Figuren, eigentlich eine Spezialität von Ritchie, bekommt man ab London eine Abenteuerschnitzeljagd nach Schema F, die mehr an einen Familienausflug im Indiana-Jones-Kostüm erinnert als an große Kinomagie. Die Handlung bleibt erstaunlich zahnlos – und das, was an Konflikt zwischen den Geschwistern Luke und Charlotte angedeutet wird, ist in der jeweils nächsten Szene schon wieder vergessen. Man spürt förmlich, wie der Film in seinem Mittelteil von einer internen Kreativbremse erfasst wird – als hätte jemand aus der Apple-Zentrale notiert: „Bitte keine Experimente, kein Zynismus, keine echten Ecken – lieber das ganz große Abenteuer mit PG-13-Etikett." Doch Ritchie ist kein Regisseur für Wattebäusche. Er braucht Kanten, Brechungen, Widersprüche. Die aber wurden ihm offenbar aus dem Drehbuch radiert, bis nur noch ein auf Hochglanz poliertes Nichts blieb. Man hört fast das Knarzen im Getriebe, wenn aus dem filmischen Wagnis eine brave Streamingproduktion wird.

Was wirklich enttäuscht, als direkte Folge dieser gewollten Konflikte, ist das verschenkte Zusammenspiel von Krasinski und Portman. Beide sind Stars mit Charisma, aber ihre Rollen bleiben so dünn geschrieben, dass es egal ist, ob sie streiten, rätseln oder sich mit bösen Buben anlegen – denn nichts davon erzeugt Nachhall. Portman wirkt unterfordert, Krasinski routiniert, und der sonst so charismatische Domhnall Gleeson scheint nicht zu wissen, ob er den heimlichen Bösewicht, den Mentor oder einfach nur einen reichen Exzentriker spielen soll.

Nun ist Guy Ritchie ein Regisseur mit einer Vorliebe für, um dies zu wiederholen, Schrammen, Narben und scharfe Kanten. Und das ist auch völlig in Ordnung, schließlich weiß man bei ihm meist, woran man ist. Er hat seinen Stil in etwas über eine Vierteljahrhundert Kinoschaffen entwickelt und wird für eben diesen geschätzt. Seine Karriere begann er mit dem zu Kultstatus gelangten ***Bube, Dame, König, grAS*** (1998), einem ebenso stilbewussten wie anarchischen Gangsterfilm, der das britische Kino aus dem Dornröschenschlaf der 90er weckte und eine ganze Riege schlagfertiger Kleinkrimineller mit Cockney-Akzent auf die internationale Leinwand katapultierte. Es folgten ***Snatch – Schweine und Diamanten*** (2000) mit Brad Pitt als kaum verständlichem Boxer und ***RocknRolla*** (2008), eine postmoderne Krimigroteske in schicker Umgebung. 2019 kehrte Ritchie mit ***The Gentlemen*** noch einmal zu seinen Wurzeln zurück und lieferte eine sarkastische, bis ins Detail durchkomponierte Rückkehr zur britischen Unterwelt ab, die er für Netflix inzwischen auch seriell aufgearbeitet hat. Diese Filme stehen nicht nur für einen sehr eigenen Stil – schnelle Schnitte, verschachtelte Erzählstrukturen, überzeichnete Figuren mit lakonischem Humor –, sondern auch für ein Kino, das dem britischen Gangsterfilm internationales Renommee zurückgegeben hat. Ritchies Handschrift wurde zum Markenzeichen: dreckig, clever und oft überraschend emotional unter der rauen Oberfläche.

Dass er diese Art des Erzählens auch ins Blockbusterkino übertragen kann, zeigte Ritchie mit seinen ***Sherlock Holmes***-Filmen (2009 und 2011), in denen er Robert Downey Jr. als ruppig-exzentrischen Meisterdetektiv inszenierte. Zwar musste er sich hier in Sachen Gewalt deutlich zurücknehmen – PG-13-tauglich eben –, doch das kompensiert er mit Witz, einem wunderbar verspielten Steampunk-Setting und einem anarchischen Humor, den er Holmes in den Mund legt. Das Überraschende: Es funktioniert. Und zwar deshalb, weil Ritchie das Duell zwischen Logik und Wahnsinn nicht als Gegensatz, sondern als Symbiose denkt – sein Holmes brilliert, weil er gleichzeitig genial und unberechenbar ist. Der Geist von Conan Doyle bleibt erkennbar, aber Ritchie injiziert ihm einen frischen Schuss Popkultur – und macht daraus Detektivgeschichten mit Rock'n'Roll-Attitüde. Doch wo Ritchie sonst genau weiß, wie er seinen Ton treffen muss – ob nun bei kleinkriminellen Großmäulern oder hyperintelligenten Ermittlern –, wirkt ***Fountain of Youth*** wie ein Film, der sich nicht entscheiden kann, was er eigentlich sein will. Kein Londoner Gangsterfilm, sondern Familienkino. Ein großes Abenteuer mit Herz und Humor. Zumindest theoretisch. Doch wenn hier böse und gute Buben aufeinandertreffen, kracht es immer wieder

überraschend heftig. Da wird geschossen, gestorben, geopfert, als wären wir mitten in einem düsteren Agententhriller. Okay, auf visuelle und auditive Darstellungen von Gekröse und Genickbrüchen wird für die Jugendfreigabe verzichtet – aber ***Fountain of Youth*** wird von einer bemerkenswerten Kälte gegenüber allem, was außerhalb des Inner Circle der Hauptfiguren passiert, durchzogen: Wer hier keinen Rollennamen trägt, darf weg. Moralische Leitplanken? Fehlanzeige. Und genau das irritiert: Der Film will familienfreundlich sein, aber erzählt Konflikte mit der Empathie eines Vorschlaghammers. Stirbt halt. Nächste Szene. ***Fountain of Youth*** gleicht einer Schatztruhe voller Plastikedelsteine: hübsch anzusehen, aber hohl. Ein Abenteuerfilm, der das Staunen verlernt hat, inszeniert von einem Guy Ritchie, der die Geschichte offenbar lieber mit Jason Statham verfilmt hätte. Stattdessen gibt es eine Story, die sich selbst genügt, solange alles irgendwie glänzt. ***Fountain of Youth*** ist ein verschenkter Film mit einem unterforderten Cast für ein Publikum, das am Ende vor allem eines sucht: den Umschaltknopf auf der Fernbedienung.

Christian Lukas

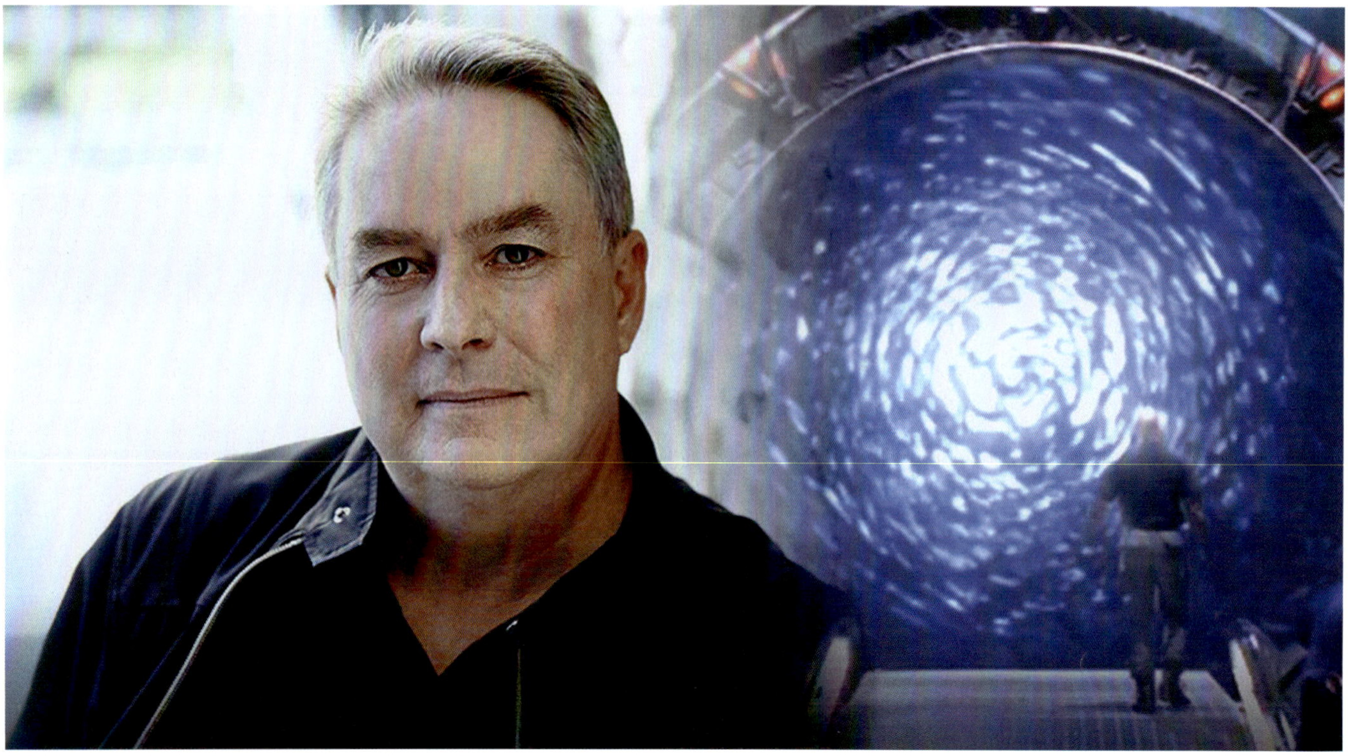

ICH HABE STÄNDIG NEUE IDEEN - IM GESPRÄCH MIT BRAD WRIGHT AUF DER FEDCON 33

Er gilt als eine echte Legende der Science-Fiction: Brad Wright, der kreative Kopf hinter den Kultserien *Stargate SG-1, Stargate Atlantis* und *Stargate Universe*, Koproduzent und Autor bei *Outer Limits – Die unbekannte Dimension* und Schöpfer von *Travelers – Die Reisenden*. Auf der FedCon 33 vom 30.05. bis 01.06.2025 in Bonn zeigte er nicht nur seine ungebrochene Leidenschaft für das *Stargate*-Franchise, sondern auch für seine Fans. Trotz eines kurz vor der Reise erlittenen Rippenbruchs ließ er es sich nicht nehmen, für Panels, Fotos, Autogramme und ein Meet & Greet zur Verfügung zu stehen. Auch für ein ausführliches Interview mit dem Insider nahm er sich die Zeit.

Zuerst einmal vielen Dank, dass Sie trotz vollem Programm und gebrochener Rippe dieses Gespräch möglich machen. Das weiß ich wirklich sehr zu schätzen. Während der Opening Ceremony haben Sie erwähnt, dass dies Ihre zweite Convention in Europa und Ihr erster Besuch in Deutschland ist. Was sind bisher Ihre Eindrücke?

Brad Wright: Leider habe ich bisher nur das Innere dieses Hotels gesehen. Aber ich werde auf jeden Fall wiederkommen. Ich muss sagen, dass ich sehr herzlich empfangen wurde und die Menschen sehr freundlich sind. Das macht mich sehr, sehr glücklich. Ich möchte wiederkommen. Das Schöne an einer Convention ist, dass man die Fans persönlich trifft. Man kann sich mit Menschen unterhalten, denen man sonst nie begegnen würde. Ich bin sehr glücklich, hier zu sein. Das ist eine großartige Convention. Ich war bisher nur auf einer anderen in Europa. Diese hier ist sehr gut organisiert und gut besucht. Es ist wunderbar.

Das größte Event, auf dem ich je war, war die Comic Con in den USA. Wir haben dort die Serie erstmals präsentiert. Wir hatten also keinen Kontakt zu den Fans. Wir standen einfach auf der Bühne und gaben Interviews und hielten große Reden und so weiter. Aber hier unterhält man sich die meiste Zeit mit den Leuten persönlich. Das ist etwas, was ich nicht kannte und auch nicht erwartet hatte. Und ich finde es wunderbar.

Schön, dass es Ihnen gefällt. Bevor wir über Stargate sprechen, was natürlich der Hauptgrund für die meisten Fans ist, Sie hier treffen zu wollen, würde ich gern etwas über Ihre kreativen Anfängen und Inspirationen wissen. Gab es bestimmte Autor:innen oder Werke, die Sie persönlich inspiriert haben?

Brad Wright: Ich liebe Asimov. Ich liebe Fred Saberhagen. Ich liebe Harry Turtledove. Es gibt viele klassische Science-Fiction-Autoren, von denen ich ein großer Fan bin. Larry Niven, Jerry Purnell. Und dann gibt es die modernen: John Scalzi zum Beispiel. Der war tatsächlich auch Berater bei ***Stargate***. Es gibt so viele großartige Autor:innen heute. Leider habe ich das Gefühl, dass es heute weniger Science-Fiction-Schriftsteller:innen gibt als noch vor 30, 40 Jahren. Oder vielleicht sind es genauso viele, aber die Abteilung im Buchladen ist viel kleiner geworden. Wenn ich an die Klassiker denke, denke ich an Asimov und die ganz Großen. Oh, Joe Haldeman, auch ein großartiger Autor. Sehr inspirierend.

Ich war schon immer ein Science-Fiction-Fan. Aber ich hätte nie gedacht, dass ich selbst Science-Fiction schreiben könnte, weil ich Kanadier bin. Es gab praktisch keine kanadische Science-Fiction, weil sie teuer zu produzieren ist und kanadische Budgets das oft nicht hergeben. Als MGM nach Vancouver kam, hatte ich ein paar Mal versucht, mich als Autor bei ***Star Trek*** ins Spiel zu bringen. Aber ich bekam anderweitig Arbeit. Ich hatte ein paar Pilotfolgen in Los Angeles verkauft. Aber davor, na ja, da habe ich einfach kanadische Serien über Pferde und Kinder auf einer Ranch geschrieben. Und ich habe eine Staffel von *The Black Stallion (Black, der schwarze Blitz)* geschrieben.

Als dann *The Outer Limits (Outer Limits – Die unbekannte Dimension)* in die Stadt kam, ist für mich ein Traum wahr geworden. Ich konnte dutzendweise Science-Fiction-Stories schreiben. Und das habe ich jahrelang gemacht. Während ich damit beschäftigt war, kam *Stargate*.

Das wollte ich gerade fragen. Wie kam es dazu, dass Sie und Jonathan Glassner eine Serie auf Basis des Films von Roland Emmerich und Dean Devlin entwickelt haben?

Brad Wright: Wie gesagt, ich arbeitete in Vancouver an *The Outer Limits* und hatte die Zeit meines Lebens. Der beste Job, den ich je hatte. Es hat so viel Spaß gemacht. Wir haben im Grunde alle anderthalb Wochen einen kleinen Film gemacht. Einfach großartig. Jonathan und ich haben damals gemeinsam Serien gemacht, und es hat super funktioniert. Er hat Regie geführt, ich habe geschrieben. Manchmal haben wir auch gemeinsam geschrieben oder Ideen entwickelt.

Dann sahen wir beide den Film *Stargate* und sagten uns: Das wäre eine ziemlich gute Fernsehserie. Also wandte ich mich auf eigene Faust an MGM und sagte: Hey, *Stargate* würde eine tolle Serie abgeben. Und er ist unabhängig von mir ebenfalls zu MGM gegangen und hat dasselbe gesagt. Der damalige Präsident von MGM, John Symes, meinte nur: „Ja, Leute, echt jetzt? Ihr denkt, da sind wir noch nicht selbst draufgekommen?"

Eines Tages war er dann in Vancouver, wir drehten gerade *The Outer Limits*. Jonathan wird zu einem langen Meeting mit Symes gerufen. Als er rauskommt, frage ich: „Worum zum Teufel ging's da?" Er sagt: „Du bist als Nächster dran. Geh rein." Ich: „Was?" Er: „Ist was Gutes. Vertrau mir." Dann sagt Symes zu mir: „Wir machen *Stargate*. Wir wollen, dass du und Jonathan das macht. Bist du dabei?" Ich sage: „Klar. Klingt großartig." Er: „Super. Aber ihr müsst *The Outer Limits* weiter machen. Ihr schafft das schon."

Also haben wir es gemacht. Wir haben gleichzeitig 22 Episoden *The Outer Limits* und 22 Episoden *Stargate* entwickelt. Wir waren völlig verrückt. Und das hat wehgetan. Es hat *Stargate* am Anfang geschadet. Ich denke, wir sind uns alle einig, dass es in der ersten Staffel einige schwache Episoden gab, weil wir nicht voll fokussiert waren. Aber irgendwann konnten wir MGM überzeugen, dass wir uns ganz auf *Stargate* konzentrieren durften – und da fand die Serie dann ihren Rhythmus und wurde immer besser.

Wir wussten übrigens von Anfang an, dass wir 44 Episoden machen dürfen. Heute bekommt das niemand mehr. Das hat uns erlaubt, eine ganze Welt aufzubauen, wie man es sonst kaum schafft. Noch vor Ende der ersten Staffel bekamen wir eine weitere Staffel genehmigt. Völliger Wahnsinn. Wir wussten nach Staffel 1: Das geht fünf Jahre.

Tja, das ist die Kurzfassung. Der Rest war eine Menge Schreibarbeit.

Nach SG-1 kamen Atlantis und Universe, aber es ist schon lange her, dass die letzten Staffeln abgedreht wurden. Wenn Sie zurückblicken: Was sind die intensivsten oder unvergesslichsten Momente, die Ihnen nach all dieser Zeit noch in Erinnerung geblieben sind?

Brad Wright: Da gibt es so viele. Ich fand *Stargate Universe* war eine richtig gute Serie und gerade dabei, sich zu finden. Ich hatte das Gefühl, sie fand auch ihr Publikum. Deshalb ist die erste Erinnerung, die mir einfällt, die, als ich erfahren habe, dass die Serie abgesetzt wird. Ich hatte es überhaupt nicht erwartet. Es war wie ein perfekter Sturm von Dingen, die schief liefen. Syfy hatte uns an einen anderen Sendeplatz verschoben, also litten unsere Quoten. MGM war bankrott. Und als Syfy dann über eine dritte Staffel verhandeln wollte, wussten sie buchstäblich nicht, wen sie bei MGM überhaupt noch anrufen konnten. Die Büros waren zu dem Zeitpunkt schon fast leer. Es war dieses Gefühl von Machtlosigkeit. Ich habe wirklich alles gegeben, wahrscheinlich so hart gearbeitet wie nie zuvor. Ich wollte unbedingt, dass es weitergeht. Und als klar wurde, dass das nicht passieren wird, war das eines der ersten Male in meiner Karriere, dass ich einen Kampf verloren habe. Aber es lag wirklich außerhalb meiner Kontrolle. Es lag so weit außerhalb meiner Kontrolle. Und ich glaube, das ist die stärkste Erinnerung. Aber jetzt, da ich weiß, dass es mit ziemlicher Sicherheit in

irgendeiner Form zurückkommen wird, bin ich stolz auf das Vermächtnis, das das unvermeidlich macht.

Was lässt Sie glauben, dass Stargate noch eine Chance auf eine Rückkehr hat? Viele Fans haben eine Menge Energie in Kampagnen wie zuletzt die #StargateNow- und #WeWantStargate-Tweetstorms von 2018 gesteckt, aber bisher ist nichts passiert...

Brad Wright: Solche Fan-Kampagnen haben mich immer gefreut. Und ich weiß ehrlich, dass sie etwas bewirken. Ich weiß, dass sie funktionieren, weil ich vor nicht allzu langer Zeit, kurz vor der Pandemie, mein Konzept für eine neue Pilotfolge präsentiert habe, und der zuständige Executive meinte zu mir: „Ich muss Ihnen sagen, Brad, einer der Gründe, warum ich ***Stargate*** zurückbringen möchte, ist, dass ich die Hunderte von E-Mails satt habe, die ich jede Woche von Fans bekomme, die die Rückkehr der Serie fordern, und ich bin sicher, Ihnen geht es genauso." Ich sagte: „Nun, ich mag das eigentlich. Ich schätze, es stört Sie mehr als mich." Er lachte, aber allein schon dadurch wusste er: Die Leute wollen das zurück.

Und das liegt daran, dass ein Franchise ein Eigenleben entwickelt. Wenn die Fans sich weigern, es aufzugeben, dann wird es zu einem wertvollen Franchise. Wenn die Fans sagen, wir haben genug, hat es keinen Wert mehr. Aber wenn die Fans nach mehr schreien, hat es einen echten Wert. Und genau deshalb hat Amazon MGM gekauft. Nicht nur wegen ***Stargate***, aber es war ein entscheidender Faktor.

Wenn sie sich Zeit lassen, bedeutet das wahrscheinlich nur, dass es cool werden wird. Das hoffe ich zumindest. Denn ich werde ein Fan der neuen Serie sein.

Apropos das Pilotskript, das Sie für die neue Stargate-Serie geschrieben haben: Haben Sie irgendein Feedback von MGM oder Amazon dazu bekommen?

Brad Wright: Nun, das Problem ist: Ich habe es im Grunde genommen genau an dem Tag abgegeben, an dem die Pandemie-Lockdowns begannen. Also hat niemand auf irgendetwas reagiert. MGM hat mir noch eine Zeitlang Feedback gegeben, ich habe ein paar neue Fassungen geschrieben, aber irgendwann war klar, dass in nächster Zeit nichts passieren würde. Nach einer Weile sagten sie dann: „Das reicht fürs Erste. Wir müssen einfach abwarten und sehen, was passiert." Und dann sind alle Beteiligten weggegangen. Derjenige, der mich ins Boot holen wollte, hat das Unternehmen verlassen. Der MGM-Präsident ging. Und dann hat Amazon MGM gekauft.

Selbst wenn es ihnen gefallen hätte, wäre es sehr unwahrscheinlich, dass Amazon ein altes Drehbuch aus der Schublade holt und sagt: „Lasst uns das machen." So funktioniert das einfach nicht. Sie würden ihr eigenes Ding machen. Und wenn sie etwas machen – wird es ihre eigene Version. Ich bin mir ziemlich sicher: Mein Drehbuch wird nie das Licht der Welt erblicken.

Das ist zu schade. Dürfen Sie irgendwelche Details Ihres Skripts verraten?

Brad Wright: Nein.

Wir hätten sehr gerne mehr über Ihre Vision für die neue Serie erfahren.

Brad Wright: Ich sage nur so viel: Es begann mit einer neuen Generation und einem neuen Team. Aber General Carter war für das SGC verantwortlich. Dr. Daniel Jackson prüfte die neuen Rekruten. Colonel Mitchell kam vorbei, um Hallo zu sagen. Und während eines großen, großen Problems rief General Carter ihren lieben Freund Jack O'Neill an,

um seinen Rat einzuholen.

„Lieben Freund"?

Brad Wright: Na ja, Ich verrate Ihnen eine Zeile aus dem Skript... Es gibt eine Zeile von O'Neill zu Carter: „Ich habe noch deine Zahnbürste. Ich habe sie nur einmal benutzt."

***Hätte Stargate Universe** ein angemessenes Ende bekommen, wenn Ihr Skript realisiert worden wäre?*

Brad Wright: Nun, meine Serie wird nie produziert werden, also spielt das keine Rolle. Aber ja, ich hätte das Thema aufgegriffen.

*Was ist Ihrer Meinung nach das Besondere an **Stargate**, das das Publikum nach wie vor so begeistert und nach all den Jahren noch immer neue Fans anzieht?*

Brad Wright: Ich glaube, einer der Gründe, warum ***Stargate*** so begeistert, ist, dass es um Menschen aus dem Hier und Jetzt geht, um Menschen von heute. Es spielt nicht in einer fernen Zukunft. Wir haben unsere Technologie von fortgeschrittenen Rassen übernommen und als Menschen einfach begonnen, sie für unsere eigenen Zwecke zu nutzen. Das macht ***Stargate*** einzigartig im Fernsehen. Ich glaube, das ist das Element der Serie, das immer noch so gut ankommt. Es ist seltsam, aber die Serie läuft nun schon seit 27 Jahren. Sie ist gut gealtert. Sie wirkt nicht altmodisch. Ich glaube, das liegt an den Figuren und den Schauspielern, die sie spielen. Sie haben sie frisch gehalten.

Wenn Sie ein Crossover mit einem anderen Science-Fiction-Universum machen könnten, welches würden Sie wählen?

Brad Wright: ***Star Trek***. Ich hätte wahnsinnig gerne ein ***Star Trek***-Crossover geschrieben.

*Das klingt spannend. Ich könnte mir auch ein Crossover mit Ihrer anderen großartigen Serie **Travelers** vorstellen. Was hat Sie an diesem Konzept besonders gereizt und was hat **Travelers** für Sie kreativ so besonders gemacht?*

Brad Wright: Ich liebe ***Travelers***. Die Serie hatte ein Leben. Sie hatte ein Ende. Ich bin stolz darauf, was daraus geworden ist. Ich habe einfach versucht, eine neue Idee für eine Serie zu entwickeln. Der Anfang von ***Travelers*** war die Vorstellung, dass soziale Medien hunderte Jahre überdauern. Mit anderen Worten, etwas, das wir heute posten, könnte in 200 Jahren angesehen werden und eine ganz andere Bedeutung bekommen. Das brachte mich auf die Figur Marcy, die nicht die ist, die sie zu sein scheint. Und das führte zu einer Reihe weiterer Ideen. Daraus wurde dann Travelers.

*Gab es Pläne für **Travelers** über die dritte Staffel hinaus, oder war das Ende, das wir gesehen haben, immer als Abschluss der Geschichte gedacht?*

Brad Wright: Netflix hat zu Beginn der dritten Staffel im Grunde gesagt, dass es wahrscheinlich unsere letzte Staffel sein würde. Der Grund dafür ist, dass sie kein werbebasiertes Modell haben, also verdienen sie nicht mehr Geld, wenn eine Serie länger läuft. Für sie lohnen sich nur große Hits. ***Travelers*** war kein Riesenhit, aber gut genug, dass sie zufrieden waren. Also sagten sie: „Lasst die Tür für eine vierte Staffel einen Spalt offen." Das habe ich getan. Ich habe die Tür für Staffel 4 offen gelassen.

Und was passiert wäre, ganz kurz gefasst: McClure war im Jahr 2001. In der ersten Folge wollten wir eine Zeitreise in die Gegenwart machen. Er wollte den Tod seines Teams verhindern. Er hätte dieselben Leute genommen, um die Dinge auf eine andere Art zu tun, um zu versuchen, den Weg zu ändern. Denn das zentrale Thema von Travelers war ja: Wir müssen es in Ordnung bringen. Hier und jetzt. Wir können das nicht die Zukunft für uns tun lassen. Und das hätte McLaren inzwischen erkannt und ein neues Team zusammengestellt, mit seinem Wissen um die Zukunft, um Veränderungen herbeizuführen. Und dann hätten wir es mit anderen Kräften aus der Zukunft zu tun gehabt, die versucht hätten, uns aufzuhalten.

Das wäre sicher auch eine spannende Staffel geworden. Gibt es Projekte, an denen Sie derzeit arbeiten oder die Sie in Zukunft gerne verwirklichen würden?

Brad Wright: Ich arbeite immer an irgendwas Neuem. Ich habe ständig neue Ideen. Und ich pitche sie auch ständig. Aber realisiert werden sie nur, wenn jemand sie kauft.

Dann drücken wir die Daumen, dass das bald wieder passiert. Vielen Dank, dass Sie sich die Zeit genommen haben. Es war mir ein echtes Vergnügen.

Brad Wright: Vielen Dank.

Irene Strobach

BEVOR DIE 2. STAFFEL STARTET WAS HABEN WIR VERPASST?

SERIEN INFO:

Folgen: 10
Staffel: 1
Dauer: 26-35 min.
Produktion: USA
Streaming: Amazon
Release Date: 2023
Showrunner: Michael Jonathan Smith, Rhett Reese, Paul Wernick

Ein Mann, ein Auto, eine Welt im Chaos: Milchmann John Doe wird mit einer Mission betraut, die ihn durch eine zersplitterte postapokalyptische Landschaft führt, weit über die Grenzen hinaus, in denen er sich für gewöhnlich bewegt. Doch die Aussicht auf ein besseres Leben in einer echten Stadt lässt ihn sämtliche Gefahren, die auf dem Weg auf ihn lauern, vergessen.

Irgendwo zwischen Roadmovie, Anarcho-Action und schrillem Endzeit-Klamauk entfaltet *Twisted Metal* eine Geschichte, die sich selbst nicht immer ganz ernst nimmt, aber dennoch mehr zu sagen hat, als man auf den ersten Blick vermuten würde. Und mittendrin: Anthony Mackie, der hier nicht als Captain America / The Falcon posiert, sondern als Mad Max-Kopie agiert, die einen Kettensägen schwingenden Irren schon einmal dadurch zur Vernunft bringt, dass sie einfach sein schauspielerisches Talent ausdrücklich lobt!

Twisted Metal? War da nicht schon mal was? Tatsächlich: Die Serie ist keineswegs neu. Bereits im Sommer 2023 feierte sie in den USA ihre Premiere – beim Streamingdienst Peacock, den man hierzulande eher für putzige Serien wie *Der Doctor und das liebe Vieh* kennt. Ende April 2024 tauchte die rund 40 Millionen Dollar teure Adaption eines gleichnamigen Videospiels dann auch bei Prime Video auf – allerdings ohne allzu große mediale Begleitmusik. Und genau das sagt einiges über die gegenwärtige Serienlandschaft aus. Denn den Überblick zu behalten, ist inzwischen zur echten Herausforderung geworden. Zwischen Netflix, Prime Video, Disney+, Paramount+, Apple TV+, Sky/WOW und dem gelegentlich überraschend wohl kuratiertem Angebot von ZDFneo konkurrieren unzählige Titel um die Aufmerksamkeit des Publikums. Fast täglich werden neue Serien angekündigt, alte sang- und klanglos ins Archiv geschoben oder irgendwo versteckt platziert. Wer nicht gerade alle Newsletter abonniert, sämtliche Trailer verfolgt und zusätzlich in den sozialen Netzwerken auf dem Laufenden bleibt, übersieht zwangsläufig so manches.

Streaming vom Lerchenberg

Besonders schwierig wird es bei Serien, die nicht von den hierzulande agierenden Plattformen selbst produziert wurden. Wenn Prime oder Netflix eine eigene neue Serie ins digitale Regal stellen, wird sie verständlicherweise prominent beworben – mit Bannern, Trailern, Pushnachrichten. Lizenzkäufe hingegen rutschen schnell durch. Genau das ist *Twisted Metal* passiert: Als eingekaufte Produktion von Peacock bekam die Serie bei Prime keinen „Premium-Platz". Wer nicht gezielt danach suchte oder wem sie am Starttag nicht direkt auf die Startseite gespült wurde, hatte kaum eine Chance, sie überhaupt wahrzunehmen. Als Serienfan mag man irgendwo schon einmal von ihrer Existenz gehört haben, vielleicht stand sie sogar auf einer übervollen Watchlist. Doch dann kommt Netflix mit der nächsten Serie aus Südkorea, Disney+ startet eine neue

Star Wars-Reihe – und schon fällt ein Titel, wie man so schön sagt, hinten runter.

Und dann tauchte sie plötzlich im Mai 2025 beim ZDF auf. Genauer gesagt: auf ZDFneo. Dort wurde ***Twisted Metal*** in einer einzigen Nacht durchprogrammiert – von kurz vor Mitternacht bis in die frühen Morgenstunden. Binge-Watching als öffentlich-rechtliches Serviceangebot, gewissermaßen. Wer allerdings nach einer langen Arbeitswoche freitagabends gegen 23 Uhr noch denkt: „Jetzt sechs Stunden Serien-Action, das ist doch genau das Richtige“, sollte vielleicht einen Moment über seinen Schlafrhythmus nachdenken.

Nun ist das lineare Fernsehen keineswegs das Auslaufmodell, als das es oft beschrieben wird – aber die Diskussion darüber sei an anderer Stelle geführt. Bemerkenswert ist in diesem Fall eher, dass ausgerechnet das ZDF einer Serie wie ***Twisted Metal*** eine Plattform bietet. Eine postapokalyptische Action-Comedy mit einem Humor, der irgendwo zwischen Zynismus und Comic-Overkill pendelt – das entspricht nicht unbedingt dem Bild, das nach wie vor viele vom öffentlich-rechtlichen Serienfernsehen haben. Da schwingt noch immer der Gedanke mit: Öffentlich-rechtliche Unterhaltung hat doch immer einen pädagogischen Zeigefinger. Oder es wird halt gemordet. Denn ja – gemordet wird im Öffentlich-Rechtlichen nach wie vor mit beeindruckender Beharrlichkeit. Ob montags im ZDF oder donnerstags in der ARD, irgendwo gibt es immer eine hübsche Leiche. Wie viele Krimiserien genau gerade in Dauerschleife laufen, vermag nicht einmal ChatGPT zuverlässig zu sagen.

Und doch: ZDFneo hat sich in den letzten Jahren leise ein eigenes Profil erarbeitet. Der Sender ging am 1. November 2009 on air – als Versuch, ein jüngeres Publikum zwischen 25 und 49 anzusprechen (ab 50 galt man bis vor wenigen Jahren intern als potenzieller Dünger – oder zumindest als klassisches ZDF-Stammpublikum). In den Anfangsjahren wirkte das durchaus vielversprechend. Serien wie ***Luther, Misfits*** oder ***Mad Men*** fanden dort ihren Platz. Nicht alles war aus einem Guss, manches wirkte wie mit der Gießkanne kuratiert – aber immerhin: weniger Betulichkeit, mehr Mut zur Nische. Mit dem Streamingboom allerdings begann eine Phase der Verunsicherung. Während Netflix, Prime und Disney+ mit internationaler Serienware die Bildschirme fluteten, verlor ZDFneo sichtbar den Anschluss. Über Jahre bestand das Abendprogramm gefühlt nur noch aus endlosen ***Inspector Barnaby***-Wiederholungen. Ein klares Konzept? Fehlanzeige. Es schien, als sei der Sender selbst zum Opfer jener Vielfalt geworden, die er eigentlich dem Publikum nahebringen wollte.

Doch inzwischen hat sich etwas bewegt. Eigenproduktionen wie ***Sløborn*** oder ***Hameln*** belegen, dass man wieder erzählerisches Profil wagt. Nur: Der Ort des Geschehens ist heute meist nicht mehr das lineare Programm, sondern die Mediathek. Dort, wo das Publikum selbst entscheidet, wann es wie viel Zeit investieren möchte. Die Ausstrahlung im linearen Fernsehen wirkt dagegen eher wie ein Pflichttermin – oder ein freundlicher Hinweis für Nachtschwärmer.

Apokalypse im ZDF

Und so fand ***Twisted Metal*** seinen Weg ins öffentlich-rechtliche Fernsehen – und erreichte ausgerechnet dort auch den Autor dieser Zeilen, an dem die Serie zuvor weitgehend vorbeigegangen war. Ja, da war mal etwas. Eine Meldung vielleicht. Irgendein Trailer. Aber wann genau? Schon eine Weile her. Ein Gefühl, das viele Serienfans heutzutage teilen dürften: Bei der Flut an Neustarts und Ankündigungen verschwimmen die Zeitmarken, und selbst solide Titel geraten schnell aus dem Blick. Zumal dann, wenn der persönliche Bezug fehlt – etwa über das Gaming-Milieu, aus dem ***Twisted Metal*** ursprünglich stammt. Denn dort wurde der deutsche Serienstart bei Prime Video im Sommer 2024 durchaus wahrgenommen, über einschlägige Plattformen, Foren und Newskanäle. Wer dort aber nicht daheim ist, …

Im Zentrum der Serie ***Twisted Metal*** steht John Doe (Anthony Mackie), der als sogenannter Milchmann arbeitet – ein kurioser Spitzname für einen gefährlichen Beruf: Er ist Kurier in einer postapokalyptischen Welt.

Die Zivilisation ist (mal wieder) weitgehend kollabiert, doch es gibt noch einige befestigte Städte, die den Untergang in relativem Komfort überstanden haben. Zwischen diesen urbanen Enklaven pendelt John hin und her, ohne selbst Teil davon zu sein. Er lebt draußen – zwischen Schrottplatzromantik, Gewalt und Wahnsinn – und muss sich auf offener Strecke gegen marodierende Banden, psychotische Outlaws und andere Unwägbarkeiten behaupten. Seinen Namen verdankt er derweil der Tatsache, dass er als Kind sein Gedächtnis verloren hat. Dafür verfügt er über ein Talent, das in seinem Beruf sein Überleben unterstützt: Er kann Autos regelrecht lesen, er weiß alles über sie (wenn er auch nicht erklären kann, warum). Und sein Wagen, mit dem er allen Widrigkeiten trozt, ist ein 2002er Subaru WRX – namens Evelyn!

Eines Tages erhält er ein verlockendes Angebot von Raven (Neve Campbell), der eleganten und manipulativ-charmanten Verwalterin der wohlhabenden Stadt New San Francisco. Wenn John bereit ist, ein Paket aus dem weit entfernten Chicago zu holen, winkt ihm ein fester Wohnsitz in der Stadt – eine Art Paradiesversprechen inmitten des Chaos. Um ihm die gefährliche Mission schmackhaft zu machen, gewährt Raven ihm Einlass in ihre gepflegte, aufgeräumte Gemeinschaft – ein urbanes Disneyland auf dystopischem Boden. Doch dass ihre Freundlichkeit nur Fassade ist, ist kein Spoiler, sondern wird früh offenbart. Allerdings nicht gegenüber John, der seine große Chance gekommen sieht. Auch wenn es der Auftrag in sich hat. Die Strecke nach Chicago ist kaum passierbar. Zu viel Niemandsland. Zu viele Wahnsinnige.

Metzgerei im Theater

So wie etwa Agent Stone (Thomas Haden Church), ein selbsternannter Sheriff mit totalitären Neigungen, der sich für das letzte moralische Bollwerk gegen den Untergang hält – und dafür bereit ist, jedes Maß an Gewalt einzusetzen. Oder Sweet Tooth, ein clownmaskierter, aber das Theater liebender Serienkiller, der in den Ruinen von Las Vegas eine blutige Bühne betreibt – irgendwo zwischen Metzgerattitüde und emotional verletzlichem Bühnenpoeten. Dargestellt wird dieser Brecher vom Wrestler Nuufolau Joel Seanoa alias Joe Seanoa, der Sweet Tooth allerdings nur seinen Körper leiht, in der Originalfassung wird er von Will Arnett gesprochen.

Unterwegs nimmt John widerwillig eine mysteriöse junge Frau mit auf seinen Trip – Quiet (Stephanie Beatriz). Zunächst hält er sie für stumm und ihre erste Begegnung ist von blanker Feindseligkeit geprägt. Doch bald formt sich zwischen den beiden eine fragile Zweckgemeinschaft, geprägt von gegenseitigem Misstrauen, die jedoch von der Notwendigkeit des Überlebens geprägt wird – und da stehen die Chancen für zwei durchaus waffenaffine Outlaws besser als für einen. Was John nicht weiß: Quiet hat eigene Pläne. Denn sie hat mit dem brutalen Sheriff Stone noch eine Rechnung offen – denn der ist verantwortlich für den Tod ihres Bruders.

Das wirklich Schöne an ***Twisted Metal*** ist die Tatsache, dass die Serie nie behauptet, besonders schlau sein zu wollen (auch wenn darüber noch zu sprechen sein wird). Was im ersten Moment wie eine Einschränkung klingt, ist in Wahrheit eine ihrer größten Stärken. Denn in einer Serienlandschaft, in der mittlerweile selbst Zombie- oder Superheldengeschichten mit philosophischer Tiefe, Weltbildanalyse oder multiplen Zeitebenen angereichert werden, ist ***Twisted Metal*** eine wohltuende Ausnahme: Hier geht es um Tempo. Um rotzige, direkte Action. Um klare Figuren, schnelle Schnitte und ein fast schon nostalgisches Verständnis von Unterhaltung.

Die Serie basiert auf einem Videospiel, das nie dafür bekannt war, besonders tiefgründig zu sein. Aber gerade deshalb überrascht es, wie stilsicher ***Twisted Metal*** daraus eine Serienadaption formt, die sich ihrer Herkunft bewusst ist und diese nicht zu überhöhen versucht. Keine tragisch-philosophische Heldenreise, keine (offenkundige) Gesellschaftsallegorie, keine verkopften Monologe über das Wesen des Menschen in der Apokalypse. Stattdessen: Beschleunigen. Durchhalten. Austeilen. Und immer wieder staunen, wie charmant sich inmitten all des Metalls, Staubs und Bluts eine eigenwillige Leichtigkeit entfaltet.

Und doch ein bisschen mehr

Die Action ist schnell, dynamisch, handgemacht – aber nie beliebig. Hier wird nicht bloß geknallt, sondern inszeniert: mit klaren Bildern, guten Ideen und einem präzisen Gespür für Timing. Die Kämpfe wirken wie aus einem Guss, egal ob auf offener Straße, in den Ruinen von Las Vegas oder zwischen flammenden Autowracks (wenn irgendwann die in einer solchen Welt unvermeintlichen religiösen Spinner auftauchen). Dabei ist alles überdreht – aber nie lächerlich. Es ist ein Drahtseilakt, auf dem ***Twisted Metal*** erstaunlich sicher balanciert.

Auch die Darsteller wissen genau, was sie tun. Anthony Mackie als John Doe bringt nicht nur lässigen Witz mit, sondern auch ein Gespür für das richtige Maß an Ernsthaftigkeit. Er versucht gar nicht erst, aus seiner Figur ein emotionales Zentrum zu machen – und genau deshalb funktioniert sie. Stephanie Beatriz als Quiet ist nicht bloß Sidekick oder Love Interest, sondern eine Figur mit eigenem Antrieb und rauem Charisma. Will Arnett leiht Sweet Tooth seine Stimme mit theatralischem Wahnsinn, ohne je ins Alberne zu kippen (die darüber hinaus sehr gut synchronisiert wurde), und Thomas Haden Church als Sheriff Stone hat offensichtlich Freude daran, seinen inneren Fanatiker einmal ungefiltert rauszulassen. Die kurzen Laufzeiten der einzelnen Episoden – sie bewegen sich zwischen knapp 26 und 35 Minuten – tragen ihr Übriges dazu bei, dass die Serie gar keine Zeit hat, um ins Stocken zu geraten. Die Nebensächlichkeit aber, mit der ***Twisted Metal*** dann doch etwas mehr liefert, ist womöglich das Raffinierteste an dieser Serie. Während Autos in Flammen aufgehen, ein Clown mit Faible für Showtanz Menschen zerlegt und ein selbsternannter Sheriff die Apokalypse mit Bibelzitaten bekämpft, gelingt der Serie etwas, woran viele Prestigeproduktionen scheitern: Sie erzählt Substanzielles, ohne es zu zelebrieren. Sie versteckt Tiefgang hinter Tempo, Kommentar hinter Chaos.

Es sind die seltenen, wohl gesetzten Rückblenden, die für Momente der Ruhe sorgen – nicht als sentimentale Atempausen, sondern als Miniaturen, die ein bemerkenswertes Maß an Welt- und Figurenbau betreiben. Besonders ein Rückblick, der Quiets Leben vier, fünf Jahre vor der Handlung beleuchtet, entfaltet in kaum mehr als zwei Szenen eine Tiefe, für die andere Serien ganze Episoden benötigen. In der scheinbaren Beiläufigkeit wird ein Bild entworfen von einem Amerika nach dem Zusammenbruch, das gar nicht so weit entfernt scheint vom Amerika davor. Es geht um Macht, um Ausgrenzung, um Rassismus, um das erbarmungslose Spiel sozialer Hierarchien – alles präsent, aber nie prätentiös.

Doch was bleibt vielen Zuschauerinnen und Zuschauern am Ende von diesem Rückblick im Gedächtnis? Sagen wir es einmal so: Abgeschnittene Ohren spielen eine Rolle. Als Schmuckstücke, die den sozialen Rang unterstreichen. In ihrer Perversion fast schon komisch, ist diese groteske Sammelleidenschaft derart absurd, dass man die Vielschichtigkeit dieses Rückblicks leicht übersehen kann. Und vielleicht ist genau das das Kunststück: ***Twisted Metal*** serviert seine politische Lesbarkeit mit der Selbstverständlichkeit einer Blutfontäne. Wer sie erkennt, wird belohnt. Wer einfach nur Unterhaltung sucht, bekommt sie ohne erhobenen Zeigefinger.

Die Frage steht im Raum: Warum wird an dieser Stelle nun ausgerechnet ***Twisted Metal*** gefeiert – eine Serie, die bereits seit über einem Jahr über Amazon Prime hierzulande im Stream verfügbar ist? Liegt es allein an der Zweitverwertung auf ZDFneo, dass sie jetzt ihre

Aufmerksamkeit erhält? Tatsächlich spielt die Ausstrahlung im öffentlich-rechtlichen Fernsehen eine Rolle, schließlich wurde die Serie dadurch erst ins Blickfeld des Rezensenten gespült. Und wer kein Prime abonniert hat, kann die Serie bis Mai nächsten Jahres in der ZDF Mediathek gucken. Doch der eigentliche Grund liegt woanders: Ende Juli startet in den USA auf Peacock die zweite Staffel von *Twisted Metal* – und damit gehört die Serie fast schon zu einer aussterbenden Spezies, deren Cliffhanger nicht einfach im luftleeren Raum zurückbleiben.

Ohne zu viel vom Ende der ersten Staffel zu verraten, lässt sich sagen, dass das Finale einen soliden Grundstein für die Fortsetzung legt. Die zweite Staffel wird eine Geschichte erzählen, das steht fest, die den Erzählrahmen deutlich erweitert, ohne die Handlung der ersten Staffel bloß zu wiederholen oder neu aufzurollen. Neue Figuren, neue Konflikte, neue Schauplätze – all das erwartet die Zuschauerschaft und verspricht frischen Wind in einem ohnehin schon rasant erzählten Universum. Zum Redaktionsschluss war zwar noch unklar, wann die zweite Staffel hierzulande startet – dafür hat der Titel jetzt schon mal einen festen Platz auf der Watchlist ergattert!

Christian Lukas

DIE FRÜHE RÜCKKEHR DER DINOS

FILM INFO:

Dauer: 133 min.
Produktion: USA
Firma: Universal/Amblin
Release Date: 2025
Regie: Gareth Edwards
Darsteller: Scarlett Johansson, Mahershala Ali, Jonathan Bailey, Rupert Friend, Manuel Garcia-Rulfo, Ed Skrein

Zwischen 1993 und 2022 spielten die zwei Trilogien der Jurassic-Filmreihe (drei Jurassic Park-Filme zwischen 1993 und 2001 sowie drei Jurassic World-Filme zwischen 2015 und 2022) rund sechs Milliarden US-Dollar an den weltweiten Kinokassen ein.

Die Filmwelt und die langjährigen Fans der Reihe gingen nach dem letzten Film Jurassic World Dominion aus dem Jahr 2022 davon aus, dass die geklonten Dinosaurier – deren erstmalige Darstellung mithilfe von Computer-generierten Bildern im Jahr 1993 das Kino revolutioniert hatten – bis auf weiteres erstmal eine Ruhepause einlegen würden. Dominion lag mit „nur" knapp 1 Milliarde US-Dollar weltweitem Einspielergebnis deutlich unter den Einnahmen der Vorgängerfilme Jurassic World (knapp 1,7 Mrd. US-Dollar) und Jurassic World: Fallen Kingdom (knapp über 1,3 Mrd. US-Dollar) aus den Jahren 2015 und 2018. Noch gravierender wog jedoch, dass Dominion bei den Fans und der Kritik nicht gut ankam. Das Konzept schien „ausgelutscht" und insbesondere die beiden letzten Streifen hatten sich deutlich von der Ursprungsidee der Marke Jurassic Park entfernt. Waren die geklonten Dinosaurier in Steven Spielbergs legendärem Originalfilm sowie den folgenden drei Filmen ausschließlich auf entlegenen Tropeninseln zu bewundern, wurden sie im fünften Film Jurassic World: Fallen Kingdom schließlich auf die Welt „losgelassen" und verbreiteten sich anschließend rund um den Globus. Jurassic World Dominion beschäftigte sich dann ausschließlich mit dem Überlebenskampf der Dinosaurier mit und in der menschlichen Zivilisation. Dazu kamen etwas wirre Subplots um geklonte Heuschreckenschwärme und reproduzierte Kinder. Eine längere kreative Pause schien nötig, um das Jurassic-Franchise wieder auf die richtige Spur zu bringen. Doch es sollte anders kommen!

Ein Neustart

Insgesamt währte die „Dino-Pause" auf der Leinwand nur drei Jahre, denn am 02. Juli 2025 startete in den USA (und am gleichen Tag in Deutschland) das nun bereits siebte Dino-Abenteuer mit dem deutschen Titel Jurassic World: Die Wiedergeburt (Originaltitel: Jurassic World Rebirth). Denn nur kurze Zeit nach Jurassic World Dominion begann der Regisseur der ersten beiden Jurassic-Filme, Steven Spielberg – der bei den späteren Filmen als Ausführender Produzent hauptsächlich hinter den Kulissen gewirkt hatte -, mit der Entwicklung eines neuen Stoffes in der Jurassic-Welt. Es sollte dabei zurück zu den eigenen Wurzeln gehen, hin zu einem eher traditionellen Abenteuerfilm auf tropischen Eilanden. Zur Umsetzung dieser Idee holte sich Spielberg Hilfe durch den seit fast 40 Jahren als Drehbuchautor tätigen David Koepp, der für Spielberg die ersten beiden Jurassic Park-Filme sowie die letzten beiden Indiana Jones-Filme geschrieben hatte. Koepp wollte eigentlich keine weiteren Dinosaurier-Abenteuer mehr verfassen, Spielbergs Idee (und möglicherweise der entsprechende Gehaltsscheck) stimmten Koepp jedoch letztendlich um. Die Regielegende und der erfahrene Drehbuchautor brüteten im Verlauf eines halben Jahres gemeinsam eine Story aus, bei denen keine der Figuren aus vorangegangenen Filmen erneut auftauchen sollten. Der neue Film sollte hin-

gegen als Hommage an Teil 1 aus dem Jahr 1993 fungieren. Die beiden warfen dabei das in den beiden vorhergegangenen Filmen vorherrschende Konzept der Interaktion der Dinos in der menschlichen Zivilisation über den Haufen. In ihrer einige Jahre nach den Ereignissen von Dominion spielenden Story haben sich die Dinosaurier auf einen kleinen weltweiten Streifen rund um den Äquator zurückgezogen, da sie mit den Umweltbedingungen der Erde des 21. Jahrhunderts nicht zurechtkommen. Die Handlung wurde auf eine bisher nicht gesehene tropische Insel verlegt, wo einst Experimente an verschiedensten Dinosaurierarten durchgeführt wurden, um für das zahlende Publikum von Freizeitparks immer neue Attraktionen zu schaffen. Nun mussten die beiden noch einen Grund dafür finden, warum die Protagonisten diese aufgegebene Insel besuchen sollten. Bei seinen Nachforschungen stieß Koepp auf die besonders lange Lebensspanne einiger großer Dinosaurierarten, bedingt durch das Fehlen von Herzkrankheiten – die bei den Menschen zu den häufigsten Todesursachen zählen. Damit war der Grund für den Inselbesuch der Hauptpersonen des Filmes gefunden: medizinische Forschungen an Dinosauriern mit dem Ziel der Herstellung von lebensverlängernden Medikamenten. Koepp erkundigte sich in diesem Zusammenhang bei einigen führenden biomedizinischen Firmen, die ihm bestätigten, dass in der Theorie Biomaterial von Dinosauriern dem medizinischen Forschungsbereich für Herzkrankheiten zu Gute kommen könnte. Vor dem eigentlichen Schreibprozess des siebten Jurassic-Filmes sah sich Koepp nochmals alle vorhergehenden Filme der Reihe an und las nochmals die literarischen Grundlagen des Bestsellerautors Michael Chrichton. Er erstelle für das Handlungsgerüst einige Regeln. Der Film sollte überwiegend realistische Wissenschaft als Grundlage nutzen, keine Ereignisse der vorhergehenden Filme nachträglich verändern (das sogenannte „Retconing"), die Dinosaurier sollten wie wilde Tiere agieren (und nicht wie blutrünstige Monster) und Humor sollte Teil der Story sein. Bei allen von Koepps Entscheidungen war Steven Spielberg mitinvolviert. Koepp begann im September 2023 mit dem eigentlichen Verfassen des Skriptes, das er Ende des gleichen Jahres bei Spielberg und den beiden von den Vorgängerfilmen wiederkehrenden Produzenten Frank Marshall und Patrick Crowley einreichte. Spielberg selbst hatte sehr zur Verwunderung seines langjährigen Produzentenpartners Marshall bei diesem neuen Jurassic World-Film „den Turbo eingelegt" und eine Veröffentlichung im

Sommer 2025 forciert. Branchenüblich ist eine Vorlaufzeit von rund zweieinhalb Jahren, die bei diesem neuen Dino-Film auf eineinhalb Jahre reduziert war.

Personalkarussell hinter den Kulissen

Im Januar 2024 wurde die Existenz eines neue Jurassic World-Filmes der Öffentlichkeit per Pressemitteilung bekannt gegeben. Zu diesem Zeitpunkt hatten Spielberg und seine Produktionspartner bereits mehrere neue Dinosaurier entwerfen lassen. Crowley und Marshall sollten wie bei den vorangegangenen Filmen die Produktion durch die Produktionsgesellschaft The Kennedy/Marshall Company unter der Ägide von Spielbergs Amblin Entertainment leiten. Die Beteiligten suchten einen Regisseur, der handwerklich begabt sein sollte, aber weniger eigenen kreativen Input in das Projekt einbringen sollte. Kurz schien man im Februar 2024 mit dem ehemaligen Regisseur des zweiten Drehteams von Jurassic World, David Leitch – mittlerweile als eigenständiger Regisseur mit u.a. Deadpool 2 erfolgreich – einen passenden Kandidaten für den Regiestuhl gefunden zu haben. Da Drehbuch und Design des Filmes schon sehr weit fortgeschritten waren, konnte Leitch der Produktion keinen eigenen kreativen Stempel aufdrücken, weshalb die Vertragsverhandlungen nach wenigen Tagen scheiterten. Kurz darauf wurde jedoch der Godzilla- und Rogue One: A Star Wars Story-Regisseur Gareth Edwards als Regisseur des Filmes verpflichtet, der nun den offiziellen Titel Jurassic World Rebirth trug. Da Spielberg ein großer Fan von Gareth Edwards´ Godzilla aus dem Jahr 2014 ist und Edwards vor seiner Regielaufbahn als Effektspezialist gearbeitet hatte, erwies sich seine Wahl als „No Brainer". Nach seinem visuell ansprechenden, aber finanziell wenig erfolgreichen Science-Ficition-Epos The Creator im Jahr 2023 wollte Edwards eigentlich eine kreative Pause einlegen und sich auf kleinere Produktionen abseits der großen Hollywood-Studios fokussieren. Als ihm jedoch die Lektüre des Skriptes zu Jurassic World Rebirth angeboten wurde, konnte er nicht „Nein" sagen, da er ein großer Fan von Spielbergs Ori-

ginalfilm aus dem Jahr 1993 ist. Da ihn das Drehbuch nicht losließ, sagte er schließlich für die Regie des neuen Dinosaurier-Abenteuers zu. Sein Drängen, den Filmstart um ein Jahr zu verschieben wurde von den Produzenten jedoch abgelehnt. Da Koepps Drehbuch zu diesem Zeitpunkt jedoch sehr weit ausgereift war, gelang es allen Beteiligten an dem doch sehr straffen Zeitplan festzuhalten und den Film innerhalb von eineinhalb Jahren fertigzustellen. Kleinere Änderungen am Drehbuch wurden noch kurzfristig in Zusammenarbeit von Edwards und Koepp vorgenommen.

Die Besetzung

Die derzeit zu den erfolgreichsten amerikanischen Schauspielerinnen überhaupt zählende Scarlett Johansson konnte schnell für die Hauptrolle gewonnen werden, da sie schon lange ein Bewunderer der Jurassic-Filmreihe ist und nach Bekanntwerden der neuen Filmpläne diesbezüglich ein Treffen mit Spielberg arrangiert hatte. Johansson verkörpert die Undercover-Söldnerin Zora Bennett, die die Gesamtverantwortung für den Einsatz auf der Dinosaurierinsel trägt. Ihr zur Seite steht Mahershala Ali als Zoras rechte Hand Duncan Kincaid. Der britische Charakterdarsteller Rupert Friend verkörpert den zwielichtigen Manager einer großen pharmazeutischen Firma namens Martin Krebs. Der ebenfalls britische Schauspieler Jonathan Bailey ist als Paläontologe Dr. Henry Loomis zu sehen, der dem Team als wissenschaftlicher Berater zur Seite steht. Nebenrollen sind mit dem mexikanischen Schauspieler Manuel Garcia-Rulfo als Reuben Delgado, der Familienvater einer auf See gestrandeten Familie sowie Luna Blaise und Audrina Miranda als seine Töchter Teresa und Isabella Delgado sowie David Iacono als

Xavier Dobbs, Teresas Freund besetzt. Abgerundet wird die Besetzung durch Bechir Sylvain als LeClerc und Philippine Velge als Nina, beide Mitglieder von Zoras Söldnerteam. Der britische Action-Star Ed Skrein hat einen Kurzauftritt als Söldner Bobby Atwater.

Die Dreharbeiten

Ungewöhnlicherweise nutzten Edwards und sein Kameramann John Mathieson für die Filmaufnahmen 35-mm-Kameras von Panavision, um dem Film ein realistischeres, körnigeres Aussehen zu verleihen und optisch Spielbergs Originalfilm zu entsprechen (in der Regel werden Filme und Fernsehserien heute digital gedreht). Das bedeutete, dass die filmischen Ergebnisse eines Tages nicht sofort nach dem Ruf „Schnitt" des Regisseurs am Monitor begutachtet werden konnten, sondern diese Tagesaufnahmen (die sogenannten „Dailies") mussten erst an ein Fotolabor zur Entwicklung gesendet werden. Im Falle der Außendreharbeiten standen diese Tagesaufnahmen dann erst nach einigen Tagen zur Verfügung. Laut Aussage von Edwards konnten deshalb bestimmte Sets nicht abgerissen werden, da man erst die Bestätigung abwarten musste, dass die Tagesaufnahmen sicher im Labor angekommen und in Ordnung waren. Ansonsten hätte man die entsprechenden Szenen nochmals neu drehen müssen. Auf diese Art wurden die meisten Filme bis Anfang des 21. Jahrhunderts hergestellt, ehe die Digitalkameras Einzug in die Filmwelt hielten. Die Filmkameras für Jurassic World Rebirth rollten erstmals am 13. Juni 2024 in Thailand, wo Edwards bereits sehr viele Szenen seines Science-Fiction-Epos The Creator gedreht hatte. Im Laufe eines Monats wurden neben zahlreichen anderen thailändischen Locations auch in den Nationalparks Khao Phanom Bencha in Krabi, Hat Chao Mai in Trang und Ao Phang Nga in Phang Nga gedreht. Im Juli wurde die Produktion in die Malta Film Studios in Kalkara auf Malta verlegt, wo hauptsächlich Szenen auf, im und unter der Wasseroberfläche gedreht wurden (die maltesischen Studios sind Jahrzehnten auf aufwändige Wasserdreharbeiten spezialisiert). Neben den maltesischen Studioaufnahmen wurden einige Sequenzen teilweise auch im Mittelmeer vor der Küste des kleinen mediterranen Inselstaates gedreht. Einen Monat später ging es für die Filmcrew nach Großbritannien, in die erst 2019 errichteten Sky Studios Elstree, wo die Außenaufnahmen komplettiert und fasst alle Innenszenen gedreht wurden. Eine Museumsszene am Anfang des Films wurde im Old Royal Naval College in Greenwich aufgenommen. Drehbuchautor David Koepp war während der letzten Drehwochen im September 2024 bei den Dreharbeiten vor Ort und stand Edwards für kleinere, dem Drehablauf geschuldeten Skriptänderungen zur Verfügung. Am 27. September 2024 waren die Hauptdreharbeiten abgeschlossen. Drei Wochen später erfolgte noch ein kurzer Außendreh in New York City. Nach Beendigung der Dreharbeiten begab sich Regisseur Edwards zusammen mit dem Cutter Jabez Olssen, mit dem Edwards schon bei Rogue One: A Star Wars Story zusammengearbeitet hatte, in die Schnittphase des Films, während George Lucas´ Effektschmiede Industrial Light and Magic (ILM) wie bei allen vorangegangenen Jurassic Park- und Jurassic World-Filmen die Dinosaurier per Computeranimationen zum Leben erweckte. Im Gegensatz zu den vorangegangenen Filmen standen aufgrund des straffen Zeitplanes fast keine aufwendig konstruierten Animatronics von Dinosauriern (mechanisch gesteuerte Dino-Attrappen) am Set zur Verfügung. Lediglich einige Fuß-, Arm- und Kopfattrappen wurden verwendet, hauptsächlich um den Schauspielern als Referenz beim Dreh zu dienen. Diese Dino-Teilattrappen wurden dann bei der Nachbearbeitung durch computeranimierte Dino-Teile ersetzt. Somit handelt es sich bei den allermeisten Dinosauriern im fertigen Film um reine Computerkreationen. Ende des Jahres 2024 war Edwards mit dem Filmschnitt fertig und arbeitete fortan gemeinsam mit den Effektspezialisten von ILM an der Fertigstellung der Effektaufnahmen. Als Filmkomponisten holte sich Edwards den Franzosen Alexandre Desplat ins Boot, mit dem er bereits bei Godzilla zusammengearbeitet hatte. Jurassic World Rebirth wurde rechtzeitig zur Weltpremiere am 17. Juni 2025 im legendären Odeon-Kino am Leicester Square in London fertig, ehe der Film dann am 02. Juli 2025 in den weltweiten Kinos startete.

Die Handlung

Der Film beginnt mit einem Rückblick in das Jahr 2010 auf der Tropeninsel Saint-Hubert in der Karibik, wo Wissenschaftler versuchen, gentechnisch veränderte Dinosaurier als Touristenattraktion zu erschaffen. Eine dieser als Distortus rex bezeichneten Kreaturen (sie erinnert etwas an das Rancor-Monster aus Die Rückkehr der Jedi-Ritter) kann entkommen und einen Techniker töten, woraufhin die Forschungsan-

lage geschlossen wird. Danach springen wir 17 Jahre in die Zukunft. Wir erfahren, dass die Dinosaurier weitestgehend aus der Welt der Menschen verschwunden sind und sich auf einen schmalen Streifen rund um den Äquator zurückgezogen haben, für den ein allgemeines Reiseverbot gilt. Wir springen in die Millionenmetropole New York City, wo der beim Arzneimittelkonzern ParkerGenix angestellte Manager Martin Krebs die Söldnerin Zora Bennett für eine Geheimmission nach Saint-Hubert rekrutiert, um dort Bio-Proben von den drei größten dort lebenden Dinosaurierarten zu nehmen: dem Mosasaurus (im Meer lebend), Titanosaurus (ein Landtier) und Quetzalcoatlus (ein Flugsaurier). Dadurch verspricht sich ParkerGenix große Fortschritte bei der Herstellung von Medikamenten gegen verschiedenste Herzkrankheiten. Für die wissenschaftliche Beratung holen sich die beiden Unterstützung durch den Paläontologen Dr. Henry Loomis, der darunter leidet, dass sich nach einem Boom vor einigen Jahren nun niemand mehr für das Leben der Dinosaurier zu interessieren scheint. Zusammen begibt man sich nach Surinam in Südamerika, wo der Rest von Zoes Team unter Führung von Duncan Kincaid dazu stößt. Das Team macht sich in Kincaids technisch fortschrittlichem Schnellboot auf nach Saint-Hubert. Unterdessen wird in den Gewässern vor der Insel die vierköpfige Familie Delgado auf ihrem Segelboot von einem Mosasaurus angegriffen. Die Delgados können in letzter Sekunde von Zoes Team gerettet werden und es gelingt diesem daraufhin, die Bioprobe von dem Mosasaurus zu entnehmen. Kincaids Boot wird daraufhin jedoch von einer Gruppe der Spezies Spinosaurus angegriffen und das Team kann sich gerade so auf die nahegelegene Insel Saint-Hubert retten. Dabei kommt es zu ersten Verlusten im Team, das aufgrund des Ablaufes der Ereignisse wieder von der Familie Delgado getrennt wird. Zoe gelingt es, per Funk einen Rettungshelikopter zu rufen, der in 24 Stunden auf der Insel eintreffen soll. Ein Wettlauf gegen die Zeit beginnt, denn es müssen bis dahin noch zwei Dinosaurier-Proben entnommen werden. Dazu kommt, dass das Team nach dem Verlust des Schnellbootes über keinerlei technische Schutzmaßnahmen gegen möglichen Dinosaurier-Angriffe verfügt. Gleichzeitig versucht die Delgado-Familie, ebenfalls Schutz vor den Dinos und eine Rettungsmöglichkeit herunter von der Insel zu finden.

Zahlen

Die in Scharen in die weltweiten Lichtspielhäuser strömenden Fans zeigten beim Kinostart von Jurassic World Rebirth, dass die Jurassic-Reihe noch längst nicht zum alten Eisen gehört. Die Filmbesprechungen der großen Filmmagazine, internationalen Zeitungen, TV-Outlets und Youtube-Kanälen, die kurz vor der Veröffentlichung des Films erschienen, zeichneten eher ein gemischtes Bild. Viele Kritiker lobten die Machart des neuen Dinosaurier-Abenteuers, bescheinigten ihm aber wenig Originalität. Das Startwochenende fiel in den USA in die Feierlichkeiten des Independence Days, ein Termin der traditionell für volle Kinokassen sorgt. Das Branchenmagazin The Hollywood Reporter schätzte anhand von Umfragen und Internetaktivitäten kurz vor Kinostart ein Einspielergebnis von 100 bis 125 Millionen US-Dollar am ersten langen Wochenende für realistisch (traditionell liegt das Fachblatt zumeist relativ eng bei den tatsächlichen Einnahmen). Jurassic World Rebirth übertrumpfte diese Erwartungen jedoch deutlich und spülte schließlich 147,8 Millionen US-Dollar in die amerikanischen Kinokassen. International nahm der Film im gleichen Zeitraum – währen der ersten fünf Tage der Spielzeit – nochmals 170,5 Millionen US-Dollar ein. Das dadurch entstandene weltweite Startwochenend-Einspielergebnis von 318,3 Millionen US-Dollar ist sogar das zweitbeste internationale Startwochenende aller bisherigen sieben Filme der Jurassic-Reihe. Zu den Ländern, in denen der Film in dem Zeitraum am besten lief, gehören China (41 Millionen US-Dollar), Großbritannien (16,6 Millionen US-Dollar), Mexiko (13,9 Millionen US-Dollar) und Deutschland (7,6 Millionen US-Dollar). Zum Zeitpunkt, als diese Zeilen entstanden (am 10. Juli 2025) hatte der Film weltweit 349,4 Millionen US-Dollar eingenommen. Da am darauffolgenden Wochenende der weltweite Start des neuen Superman-Filmes von James Gunn anstand, würde sich noch zeigen müssen, ob die Ticketverkäufe für Jurassic World Rebirth aufgrund des Superman-Kinostartes überproportional zurückgehen würden, oder durch gute Mundpropaganda von einem nur flach ausfallenden Zuschauerrückgang betroffen sein würde (fast alle Filme haben am zweiten Wochenende einen deutlichen Einnahmenrückgang, bis auf wenige Ausnahmen wie beispielsweise Avatar oder Titanic).

Eine Einschätzung

Jurassic World Rebirth kehrt zurück zu den filmischen Wurzeln der Jurassic-Reihe und ist eine gigantische Verbeugung vor dem Filmschaffen von Steven Spielberg, dessen Einflüsse in fast jeder Szene des Films deutlich zu erkennen sind. Wie schon eingangs erwähnt, wirft Jurassic World Rebirth sämtlichen komplexen Handlungsballast der letzten Filme ab und präsentiert sich als schnörkelloses Abenteuerkino im Geiste des Originalfilmes von 1993. Dabei zeigt er sich durch die Verwendung von echtem Filmmaterial anstatt Digitalaufnahmen als optisch sehr erfrischend. Die Dinosaurier – die der Hauptgrund der meisten Zuschauer für den Kinobesuch sein dürften – sind fantastisch animiert und haben nie so gut ausgesehen. Neben einigen neuen Spezies sowie mehreren gentechnisch veränderten Dinos sind natürlich die Fanlieblinge wie der Tyrannosaurus Rex und die Velociraptoren wieder mit dabei. Durch den Verzicht auf viele unterschiedliche weltweite Handlungsstränge und die Rückkehr zu einer klassischen Dschungel-Überlebenskampfgeschichte erscheint der Film wesentlich stromlinienförmiger und leichter konsumierbar. Der Streifen kommt dabei mit nur wenigen menschlichen Darstellern aus, denn außer dem aus (am Anfang) sieben Personen bestehenden Missionsteam und der vierköpfigen Delgado-Familie sind bis auf einige wenige Hintergrundfiguren keine weiteren Charaktere im Film. Optisch liegt der tropische Look des Films auf einer Linie mit den bisherigen Werken von Gareth Edwards wie Godzilla, Rogue One und The Creator, die ebenfalls ausgiebige tropische Strand- und Dschungelszenen aufweisen. Neben der Hommage an Jurassic Park verbeugt sich Jurassic World Rebirth auch vor weiteren Klassikern aus der Feder von Steven Spielberg. Die Szenen, die die Angriffe der Dinosaurier auf Kincaids Schnellboot und die Segelyacht der Delgados zeigen, sind deutlich vom Tierhorror-Klassiker Der Weiße Hai inspiriert. Und gegen Ende des Filmes sorgen einige Tempelszenen sogar kurzzeitig für Indiana Jones-Feeling. Der Verfasser dieser Zeilen ist ein großer Bewunderer des Spielbergschen Gesamtwerkes – insbesondere dem von ihm inszenierten Popcornkino der 1970er bis -90er Jahre – und kann daher Jurassic World Rebirth als kurzweiliges, spannendes und optisch hochwertiges Abenteuerkino jedem Jurassic Park- und Spielberg-Fan wärmstens empfehlen.

Stefan Ulsamer

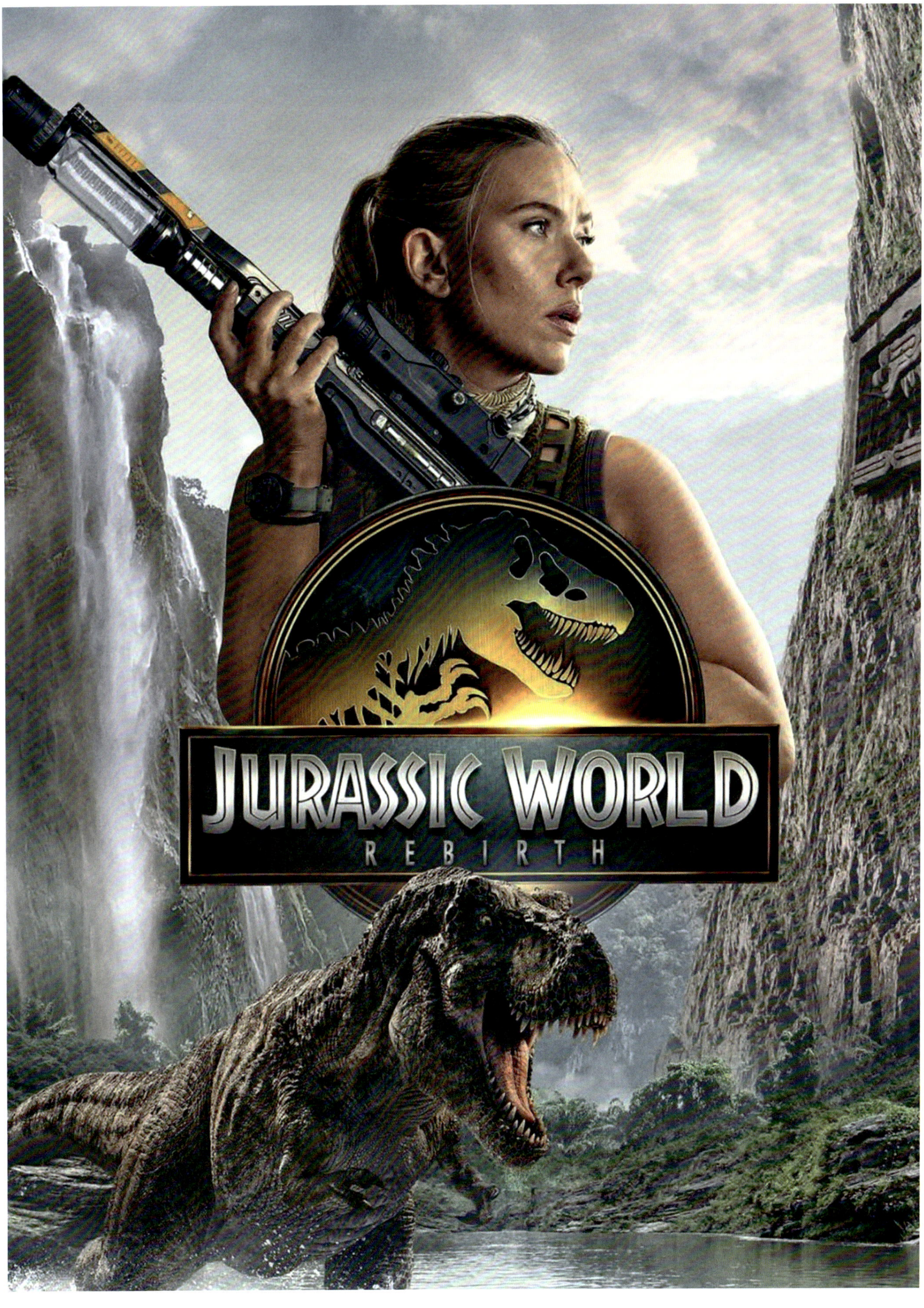
JURASSIC WORLD
REBIRTH

STAR TREK KOLUMNE

GREAT TREKXPECTATIONS - KOMMT DAS REBOOT DES REBOOTS?

Star Trek steht (- wieder einmal -) an einem Wendepunkt. Dass Paramount Global nach einem Milliarden-Deal mit David Ellisons Produktionsmulti Skydance Media fusioniert – sprich übernommen wurde – und ab demnächst New Paramount beziehungsweise Paramount Skydance Corporation heißen wird, bedeutet erst einmal nur einen Wechsel in der Führungsspitze. Inwiefern unser Lieblingsfranchise davon betroffen sein wird, lässt sich indes derzeit noch nicht absehen. Alex Kurtzman bleibt zwar erst einmal bis Ende 2026 auf seinem Posten, doch ist die Rede von der Möglichkeit, dass es danach eine mehrjährige _Star Trek_-Pause geben könnte. Und für die Zukunft gab es bereits Gemauschel, das für einige Aufregung unter den Trekkies gesorgt hat.

Classics-Neustart die Dritte?

Auf dem renommierten New Yorker Tribeca Festival, wo die Eröffnungsfolge der dritten Staffel von *Star Trek: Strange New Worlds* am 14. Juni 2025 ihre Weltpremiere erlebte, erging sich Showrunner Akiva Goldsman in mehr oder weniger kryptischen Aussagen. Er sprach davon, dass sich die Charaktere nun in der Mitte ihrer Entwicklungsphasen befänden, was die Frage aufwirft, wie sie zu dem werden, was sie später sind. In *TOS* waren sie ja danach weiterhin dabei. Goldsman sprach weiterhin von einem „Fünfjahresplan" und davon, dass man ja die Sets schließlich bereits habe.

Das ist erst einmal nicht sonderlich viel. Und könnten schlicht und ergreifend laut geäußerte Gedanken sein, wie sie auch manchem Trekkie bereits gekommen sein dürften. Aber wie diese nun einmal so drauf sind, kam schon wenig später eine bedeutungsschwere Frage auf. Und zwar die danach, ob sich denn in Goldsmans Aussagen erste Pläne zeigen, tatsächlich ein weiteres Reboot der klassischen *Star Trek*-Originalserie auf die Beine zu stellen. Zumindest theoretisch wäre das möglich. Spielen wir das Szenario mal durch, rein des Spaßes halber!

Neue Gesichter für die Alten

Preisfrage: Wovon haben McCoy und Chapel nur zwei, Pike, Kirk, Spock, Uhura und Scotty aber drei? Ehe die ersten Leser nun rote Ohren bekommen, lösen wir mal auf. Die Rede ist von Darstellern. Im 2009er *Star Trek*-Reboot erhielt die gesamte klassische Originalcrew (mit Ausnahme des alten Spock, den darin und noch ein weiteres Mal Leonard Nimoy verkörperte) neue Darsteller – übrigens mit Ausnahme von Schwester Christine Chapel, die darin nicht auftauchte. Chris Pine kam für Shatner, Zachary Quinto für Nimoy, Zoë Saldaña für Nichols, Karl Urban für Kelley, John Cho für Takei, Anton Yelchin für Koenig (und Bruce Greenwood für Hunter). Wissen wir.

Mit *Strange New Worlds* (beziehungsweise schon vorher in der zweiten Staffel von *Discovery*) bekamen wir mit zunächst Anson Mount

als Pike, Ethan Peck als Spock und Celia Rose Gooding als Uhura die jeweils dritten Darsteller der Classics-Helden zu sehen. Chapel hingegen erfuhr durch Jess Bush ihre zweite Inkarnation, „Number One" Una Chin-Riley durch Rebecca Romijn und Dr. M'Benga durch Babs Olusanmokun. Später kamen noch Paul Wesley als neuer Kirk (der hier noch Lieutenant ist) und Martin Quinn als neuer Scotty hinzu.

Während weder Pike noch „Number One" und Dr. M'Benga bis auf eine, beziehungsweise zwei Ausnahmen im größeren Rahmen in ***TOS*** auftreten, hätten wir also bereits einen neuen Kirk, Spock und eine neue Uhura und Chapel sowie einen neuen Scotty. Fehlen noch Sulu, Chekov und McCoy. Aber da die dritte ***Strange New Worlds***-Staffel zum Zeitpunkt des Schreibens dieser Kolumne noch eine Woche von ihrem Start entfernt ist, kann man nicht wissen, was uns da so erwarten wird. Beziehungsweise, wer neu hinzukommt und wer nicht. So oder so – die Besetzung lässt sich angesichts des großen Angebotes mehr und weniger bekannter junger TV-Darsteller ohne größere Probleme zusammenbekommen. Dass dies die üblichen Scherereien mit den Alt-Fans mit sich brächte (welche es übrigens auch als weit jüngerer Jahrgänge gibt als die mittlerweile im Rentenalter befindlichen Erst-Trekkies), versteht sich dabei von ganz allein.

Alter Wein, neue Schläuche und so weiter...

Schaut man sich die klassische ***Star Trek***-Originalserie heute an, das dürfte so ziemlich jedem Fan klar sein, kann man das eigentlich nur im zeitlichen Kontext tun. Zum einen war die politische Weltlage zu ihrer Entstehungszeit vor nunmehr fast 60 Jahren eine völlig andere als die der Gegenwart, zum anderen stand vieles, das für uns gang und gäbe ist, noch relativ am Anfang. Das allgemeine Frauenbild ist hierbei nur eins von vielen Beispielen.

Wollte man wirklich ein Remake zumindest einiger ***TOS***-Folgen realisieren (Episoden wie ***Spock's Brain*** hingegen böten eher die Möglichkeit ulkiger Parodien), müsste man diese in moderne Form übertragen. ***Mudd's Women***, in der der Menschenhandel in Föderationskolonien schulterzuckend hingenommen wird, oder ***Dagger of the Mind***, welche die Bewusstseinsmanipulation thematisiert, wären nur als stark aktualisierte Versionen möglich. Das darin gezeigte Unrecht nach heutigem Verständnis müsste schon deutlich als solches gekennzeichnet werden, um die Themen auf unsere Gegenwart zu übertragen. Denn genau diese Allegorien sind es, die ***Star Trek*** von jeher ausmachen. Serienklassiker wie ***The City on the Edge of Forever*** hingegen wären geradezu prädestiniert dafür, die ursprünglichen Originalversionen der Geschichten umzusetzen (die gravierenden Veränderungen an Harlan Ellisons großartiger Vorlage führten zu einer langjährigen Fehde mit dem Autor), was de facto eine vollkommen neue Episode ergäbe.

Dabei wäre ein gerüttelt' Maß an Fingerspitzengefühl gefragt. Denn auch verschiedene Neuerungen, die sowohl ***Discovery*** als auch ***Strange New Worlds*** in den Prä-***TOS***-Kanon eingebracht haben, gälte es dabei zu berücksichtigen. Wäre eine Eins-zu-Eins-Neuverfilmung schon aus den zuvor genannten Gründen undenkbar, würde dieser Punkt einem solchen Vorhaben den endgültigen Garaus machen.

Touchscreen statt Räderzählwerk

Über die Technik in einem eventuellen ***TOS***-Serien-Reboot muss man eigentlich gar nicht erst sprechen. Bereits 2006 wurden die einstigen mechanischen Zählwerke auf der Brücke des Raumschiffes Enterprise anlässlich des 40. Serienjubiläums zu Digitalanzeigen remastert. Was auch für zahlreiche andere

in den 60er-Jahren sicher legitime (da nicht besser machbare), heute aber wie aus Omas Küche wirkende Gadgets galt. Und für die Weltraum-Spezialeffekte sowieso. Trotzdem wirkte schon das erste ***Star Trek***-Prequel ***Enterprise*** trotz aller Versuche, „altertümlich" zu erscheinen, wesentlich moderner als die rund 100 Jahre später spielende Originalserie.

Da schufen die ***TOS***-Reboots des Abramsverse recht gute Abhilfe. Betrachtet man ***Enterprise*** (und auch später ***Discovery*** und schließlich ***Strange New Worlds***) als Prequels der Kelvin-Zeitlinie, kann man das Ganze plötzlich mit ganz anderen Augen sehen – Geschmacksfragen hin oder her.

Kurzer Ausflug ins Nachbaruniversum

Wir erinnern uns an die Jahre 2003 und 2004 und gehen dabei gar nicht so weit weg vom ***Star Trek***-Franchise, wie man zunächst vielleicht meinen könnte.

Battlestar Galactica kam heraus, ein Reboot der knallbunten typischen 70er-Jahre-Sci-Fi-Serie mit ***Bonanza***-Papa Lorne Greene als Konkurrenz zu ***Star Wars***. Anfangs als zweiteiliger TV-Film, dem ein Jahr später eine echte Fernsehserie folgte. Showrunner war Ronald D. Moore, unter anderem als Angehöriger des Produzentenstabes von ***Star Trek: Deep Space Nine*** ein bekanntes Gesicht im Franchise.

Alt-Fans der Serie (darunter auch der Kolumnist) waren hell entsetzt. Ein Großteil der Hauptfiguren aus der alten Serie trat auch im Reboot auf, welches man weit eher als Neuinterpretation bezeichnen musste. Natürlich verkörpert von anderen Darstellern, was man mit Verständnis aufnahm. Allerdings waren Figuren wie die Starpiloten Starbuck und Boomer jetzt Frauen und besaßen mit Kara Thrace und Sharon Valerii private Namen. Und auch insgesamt zeigten die neuen Hauptcharaktere teilweise komplett neue Facetten. So gab es einen scharfen Vater-Sohn-Konflikt zwischen Commander William Adama und seinem Sohn Lee mit dem Fliegernamen Apollo. Und die Zylonen waren jetzt ebenso etwas ganz anderes als früher einmal wie der böse Graf Baltar, jetzt „nur noch" Doktor. Aus der abenteuerlichen Mischung aus ***Star Wars*** mit einem gehörigen

Schuss ***Star Trek*** war nun eine zeitweise erschütternde Antikriegs-Serie geworden, in der sich Überlebende eines Raumgefechtes mit schweren Verbrennungen die Seele aus dem Leib schrien. Die die heroischen Seiten eines galaktischen Großkonfliktes weitestgehend in den Hintergrund stellte und sich stattdessen größtenteils auf das tragische Moment verlegte. In einem Satz – ich hasste es. Warum ich nach dem Zweiteiler überhaupt weiterschaute, als sich die eigentliche Serie anschloss, weiß ich nicht mehr. Es tat weh und weher mitanzuhören, wie teilweise eher unsympathische Typen mit den Namen von Kindheitshelden angesprochen wurden. Das ging tatsächlich etwa die Hälfte der ersten Staffel lang. Dann machte es „Klick".

Nein, wir waren hier nicht in der Neuauflage einer Feelgood-Space Fantasy aus den goldenen Zeiten des Genres. Sondern da wurde eine bereits bekannte Geschichte in ihren Grundzügen neu erzählt, ganz so, als sei sie nicht schon einmal zuvor passiert. Sondern aus dem Blick der Jetztzeit, die nun einmal gleich mehrere Nuancen dunkler daherkommt als die letzten Jahre der Kindheit damals. Nein, Edward James Olmos war ebenso wenig ein neuer Lorne Greene, wie Katee Sackhoff ein weiblicher Dirk Benedict war. Das waren andere Versionen der Figuren, neue und die vollkommen eigenen ihrer neuen Darsteller. Anders gesagt musste man umzudenken lernen, wenn man als Fan der alten Serie auch der neuen eine faire Chance geben wollte. Das taten wohl recht viele davon, nicht allein yours truly. ***Battlestar Galactica*** avancierte im Lauf ihrer vier Serienstaffeln zu einem modernen Klassiker, dem viele bis heute hinterhertrauern.

Eine Portion Rücksichtslosigkeit

Die Fanbase von ***Battlestar Galactica*** ist freilich längst nicht so groß und durchorganisiert wie die von ***Star Trek***, machen wir uns nichts vor. Aber es gibt Stellen, an denen solche Anhängerschaften zumindest ihre Berührungspunkte besitzen. Das natürlich *kann* so sein, *muss* es aber nicht. Will heißen, es steht in den (wieder einmal) sprichwörtlichen Sternen, ob die Trekkie-Gemeinde sich letztlich auf eine ***TOS***-Serienneuauflage ähnlich einlassen würde wie die BSGler damals auf die Neuinterpretation ihres Tabernakels. Aber durch ***Battlestar Galactica*** hat sich gezeigt, dass dergleichen zumindest im Bereich des Möglichen liegt.

Es gehörte schon ein gehöriges Maß an Rücksichtslosigkeit gegenüber den Alt-Fans dazu, welches Ronald D. Moore da auf die Zutatenliste seines Reboots packte. Und letztlich lag er damit richtig,

Würde ein (nach wie vor lediglich rein hypothetischer, wie festzuhalten ist!) Serien-Neustart des klassischen ***Star Trek*** nach einem ähnlichen Muster angefasst, bestünde zumindest die Möglichkeit, dass die Endresultate einander ähnelten. Natürlich würde man nicht alle der schon genannten Alt-Fans der Generation 60+ damit abholen. Denen stießen schon die drei Filme der Kelvin-Zeitlinie sauer genug auf. Aber einige davon eben doch – und nicht nur das. Richtig angefasst, könnte man durchaus das gleiche jüngere Trekkie-Publikum ansprechen, dass sich von ***Strange New Worlds*** abholen lässt - und die Originalserie teilweise nicht einmal kennt.

So etwas erfordert natürlich Risikobereitschaft, doch hat die Vergangenheit im Allgemeinen und ***Battlestar Galactica*** im Speziellen schon öfters gezeigt, dass sich das auszahlen kann. Es ist nun einmal bei Reboots selten haargenau das gleiche Zielpublikum wie bei den Originalen. Dass Fernsehzuschauer, die damals begeistert jede Folge von ***Kobra, übernehmen Sie*** angeschaut haben, ab 1996 regelmäßig alle paar Jahre ins Kino stürmten, um dort Tom Cruise im neuesten ***Mission: Impossible***-Streifen anzuschauen, darf als höchst fraglich gelten. Ein neues ***TOS*** wäre eins für eine neue Generation. Und würde vielleicht den einen und anderen Fan „von früher" mit dazu holen.

Sind die Trekkies schon so weit?

Das natürlich wäre die Frage aller Fragen, falls sich Akiva Goldsmans Äußerungen tatsächlich als mehr herausstellen als hingeworfene Gedankenschnipsel. Vermutlich wäre der Aufschrei am Anfang erst einmal groß, falls dem so ist. „Respektlosigkeit gegenüber dem Original!", „Geldmacherei!" und so weiter und so fort. Aber das... ja, das war damals bei ***Battlestar Galactica***, einem bis heute geschätzten Genre-Highlight, ganz genauso. Warten wir's einfach mal ab!

Thorsten Walch

Uwe Anton

Ward, Wenske, weitere Werke

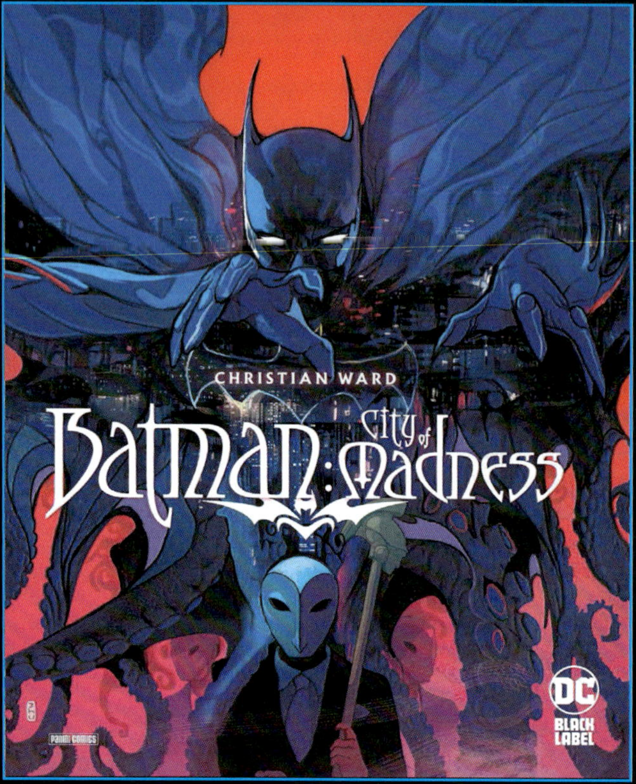

Christian Ward
Batman: City of Madness
Panini, Stuttgart 2025, unpaginiert (etwa 180 Seiten), € 35,00

„Was amerikanische Superhelden betrifft, war Batman stets derjenige, der sich für Experimente anbot und die Grenzen des Genres ausreizte", hieß es in der ersten Insider-Ausgabe dieses Jahres über ***First Knight*** von Dan Jurgens und Mike Perkins. Diese Worte treffen auch auf Christian Ward und sein überformatiges ***Batman: City of Madness*** zu, das gut ein halbes Jahr nach seinem Erscheinen als gebundenes Buch in den USA bereits in einer deutschen Ausgabe vorliegt. Der Engländer, der aus seinem Geburtsdatum ein ziemliches Geheimnis macht, lässt darin seiner Phantasie freien Lauf und frönt seiner Lust am Morbiden. Er hat ein „Gotham Below" ersonnen, ein Gegenstück zu dem „Gotham Above", das unserer Welt, in der Batman für Recht und Ordnung sorgt. Durch ein Portal des Rats der Eulen, eines Geheimbunds, der seit Jahrhunderten im Verborgenen in Gotham agiert und die komplette Kontrolle über die Stadt erringen will, gelangen zuerst der Batman jenes unterirdischen Reichs und dann immer mehr seiner Schurken in unser Gotham. In Gotham Below hat jeder Mensch unserer Welt ein Gegenstück, und der fremde Batman trägt eine Montur, die durchaus der unseres Helden ähnelt, auch wenn der das energisch abstreitet. Sein Gesicht ist jedoch ein Gewusel von Tentakeln, das unwillkürlich an Cthulhu aus dem Pantheon der „Alten Götter" des amerikanischen Schriftstellers H.P. Lovecraft erinnert.

Batman bleibt keine andere Wahl, als sich mit seinen Feinden, dem Rat der Eulen, zu verbünden, um den Cthulhu-Batman wieder ins Gotham Below zu schicken. Dieser fremde Batman ist in erster Linie auf der Suche nach einem beliebigen Jungen, den er zu seinem Robin machen kann, und findet ihn in dem Sohn eines erschossenen farbigen Polizisten. Diesen Erzählstrang treibt Ward konsequent voran und führt ihn zu einem gelungenen, ja sogar etwas überraschenden Abschluss. Auch die Schurken, die über unser Gotham herfallen, entsprechen denen unserer Welt und ähneln ihnen in gewisser Hinsicht, sind aber nicht mit ihnen identisch. So verfügt z.B. Two-Face über ein Gesicht, das nicht vertikal, sondern horizontal geteilt ist; die untere Hälfte ist entstellt. Psychologisch wesentlich tiefer geht es bei dem Bauchredner Scarface und seiner Puppe.

Ward spielt hier mit den bekannten Sujets des Originals, ohne ihnen jedoch gänzlich neue Seiten abgewinnen zu können. „Ich wollte schon immer Batman schreiben und zeichnen, seit ich 12 oder 13 Jahre alt war", lässt er in einem Interview verlauten, und das merkt man ***Batman: City of Madness*** auch an. Ward schreibt energischer als die meisten seiner Kollegen und greift auf immer wiederkehrende Formulierungen zurück, um den Titelhelden zu charakterisieren (etwa das Leitmotiv des Brechens von Knochen). Seine Zeichnungen nutzen das gesamte Spektrum des (längst nicht mehr benutzten) Malkastens aus: Er schreckt weder vor Pastellfarben noch hellen Farbflecken zurück und bietet uns eine kunterbunte Welt, die vielleicht mitunter etwas zu bunt geraten ist. Schließlich ist Batman ein Geschöpf der Nacht, der Dunkelheit. Das ist durchaus gewöhnungsbedürftig; man könnte den „dunklen Ritter" vermissen, den man bei Ward allerdings auch findet, vielleicht aber etwas zu selten: zum Beispiel, wenn er sich schnell durch die Stadt bewegt und dabei unwillkürlich an einen kleinen Raubdinosaurier erinnert, einen Predator.

Der Abdruck sämtlicher amerikanischer Titelbilder der zahlreichen Variant-Ausgaben, von denen einige wirklich sehr gelungen sind, und einige Skizzen des Autors und Zeichners vervollständigen den Band. ***City of Madness*** ist

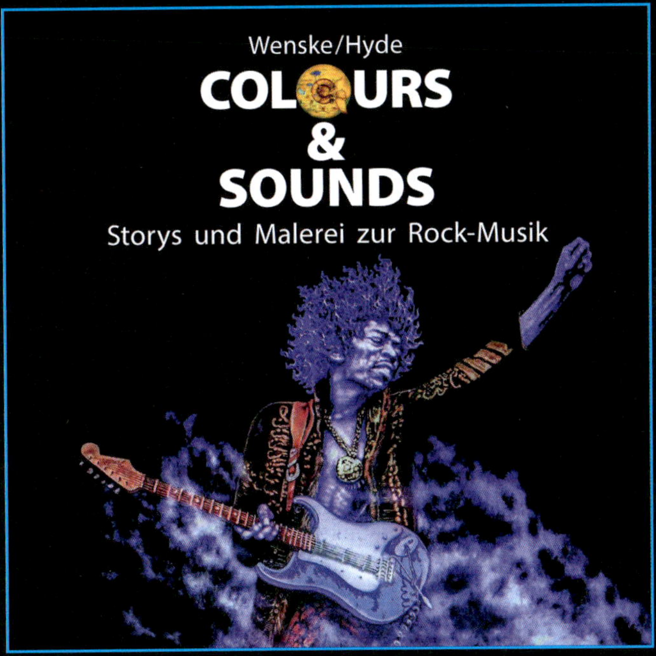

zwar kein Meisterwerk, aber ein lesenswertes Abenteuer im Großformat, das durchaus einen Blick wert ist.

Helmut Wenske
Colours & Sounds: Storys und Malerei zur Rock-Musik
Hirnkost, Berlin 2025, 456 S., € 38,00

Colours and Sounds, das neueste (und 16.) Buch von Helmut Wenske (*1940), trägt den Untertitel „Storys und Malerei zur Rock-Musik". Wieso wird so ein Buch in einem Magazin besprochen, das sich der Science Fiction, Fantasy und dem Horror in den Medien widmet?, wird sich nun mancher Leser fragen. Ganz einfach: Wenske gilt als der deutsche Maler der Phantastik, seit fünfzehn seiner Werke als Titelbilder für die Buchreihe ***Phantastische Wirklichkeit – Science Fiction der Welt*** des Insel Verlags ausgewählt wurden, die von 1971 bis 1975 erschien. Wenskes Gemälde haben damals für beträchtliches Aufsehen gesorgt und waren auf ihre Weise völlig neu und außergewöhnlich. Und ***Colours and Sounds*** ist eine reich illustrierte Art „Teilbiographie" des Hanauer Künstlers, der manchmal recht ungehalten reagiert, wenn man ihn als solchen bezeichnet. „Teilbiographie" deshalb, weil Wenske sich in der Tat intensiv mit der Rock-Musik beschäftigt hat und in diesem üppig illustrierten Buch darauf das Hauptaugenmerk legt. Die Illustrationen sind es, die das Interesse des Phantastik-Lesers (oder -Betrachters) erregen, zumal sie hier in äußerst guter Qualität wiedergegeben werden.

Wenskes Bilder könnten den Albträumen eines Salvador Dali entsprungen sein und beeindrucken auch noch nach mehr als fünfzig Jahren. Landschaften und Menschen zerfließen, sogar die Zeit, nichts hat Bestand. Immer wieder taucht Philip K. Dick auf (der einzige Science Fiction-Autor, der Wenske wirklich interessiert). Auch die Gruppe Nektar, die der Maler fast von Anfang an begleitet hat, scheint stets präsent; mit seinen Hüllencovern hat er ihr Bild in der Öffentlichkeit geprägt. Doch auch verhältnismäßig neue Bilder sind vorhanden. Verhältnismäßig, weil Wenske wegen einer Erkrankung der Hände seit Jahrzehnten nur noch sporadisch malen kann. ***Colours and Sounds*** ist ein Fest für die Augen. Doch Obacht: Wie schon gesagt liegt das Hauptaugenmerk dieses Buchs auf spezifischen Erinnerungen und der Rock-Musik. Aber ein Band mit sämtlichen Science Fiction-Bildern des Hanauers ist bereits in Arbeit. Wir werden darüber berichten.

Garth Ennis, Goran Sudzuka
Marjorie Finnegan, Temporal Criminal
AWA, New York 2025, unpaginiert (etwa 232 Seiten), $ 24,99

Das Erscheinen von gleich zwei „Deluxe"-Ausgaben ist zu vermelden: ***Marjorie Finnegan, Temporal Criminal*** von Garth Ennis (*1970) und Goran Sudzuka (*1969) und ***Onkel Dagobert und der Infinity-Taler*** von Jason Aaron (*1973), Paolo Mottura

LESESTOFF

>> COMICS
>> BOOKS

*1968) und vielen, vielen weiteren Zeichnern.

Garth Ennis' Zeitverbrecherin enthält die komplette Story, iber die man im Insider 59 (6/22) so einiges lesen kann, dazu eine urkomische (und provokative) neue Geschichte des Kreativ-Teams über Religion, Golf und Sex, eine kurze, aber eher nichtssagende Einführung vom Texter-Kollegen Scott Snyder, ein noch kürzeres Nachwort vom damaligen Redakteur (und heutigen „Chief Creative Officer" des herausgebenden Verags) Axel Alonso und zwölf Variant-Cover für die ersten drei Ausgaben der ursprünglichen Heftserie. Ennis erweist sich als kleiner Prophet, indem er die zweite Amtszeit des amerikanischen Präsidenten vorausgeahnt hat: Auch dieser Sammelband enthält, man mag es kaum glauben, das ikonische Panel, das Donald Trump mit einer Hunde-Kackwurst auf dem Kopf zeigt – eine politische Aussage, wie man sie (unabhängig von der Person) in amerikanischen Comics gern öfter sehen würde. Leider hat man nicht das gelungene ursprüngliche Cover erneut genutzt, obwohl es in diesem Band enthalten ist; Amanda Conner und Jimmy Palmiotti haben ein neues gezeichnet, das dem Inhalt und Ennis' ungezügeltem anarchistischem Humor allerdings kaum gerecht wird. Aber das lässt sich verschmerzen.

Jason Aaron, Paolo Mottura u.u.
Onkel Dagobert und der Infinity-Taler
Egmont, Berlin 2025, 96 Seiten, € 35,00

Es war einmal, da kaufte Zeichentrickfilm-Hersteller Disney, der Konzern mit der Maus, den Verlag Marvel, den Konzern mit der Spinne. (Lang, lang ist's her, doch wir berichteten darüber!) Viele Fans betrachteten diesen Vier-Milliarden-Dollar-Deal mit skeptischen Argusaugen, befürchteten sie doch, dass sich Peter Parker bald mit Mäuseohren durch die Stadt schwingen und Netze mit Mäusemotiven spinnen würde, doch dazu kam es (wie von uns erwartet) lange Jahre nicht. Erst in jüngster Zeit bietet man dem Leser öfter solchen Unsinn an wie „Was, wenn Donald Duck Wolverine geworden wäre?" Oder Hulk, oder ...

Einen Vorstoß in diese Richtung wagte auch der Texter Jason Aaron (*1973), der schon zahlreiche Marvel-Serien schrieb, etwa ***Wolverine, Thor*** und ***The Avengers***. Nach der Lektüre einer Story von Don Rosa wurde er Fan des Universums der Enten. Er kam auf die Idee, eine Duck-Geschichte zu schreiben, die der (oder die) Zeichner dann im „typischen" Marvel-Stil umsetzen sollte(n). Der unterscheidet sich u.a. durch die Aufteilung der Panels einer Comicseite oder die Farbgebung von dem doch eher strengen und klassischen Donald-Stil. Soooo toll ist Aarons laut Klappentext „epische" Story eigentlich gar nicht: Der Onkel Dagobert unserer Daseinsebene wurde von Donald und dessen Neffen sozusagen „sozialisiert"; der eines Paralleluniversums hat keine Verwandten und trägt deshalb „nichts als Hass im Herzen". Ausgerechnet dieser Dagobert entdeckt das Tor zu anderen (Parallel)-Welten und will nun nicht mehr nur die reichste Ente seiner Welt sein, sondern die aller Enten (und

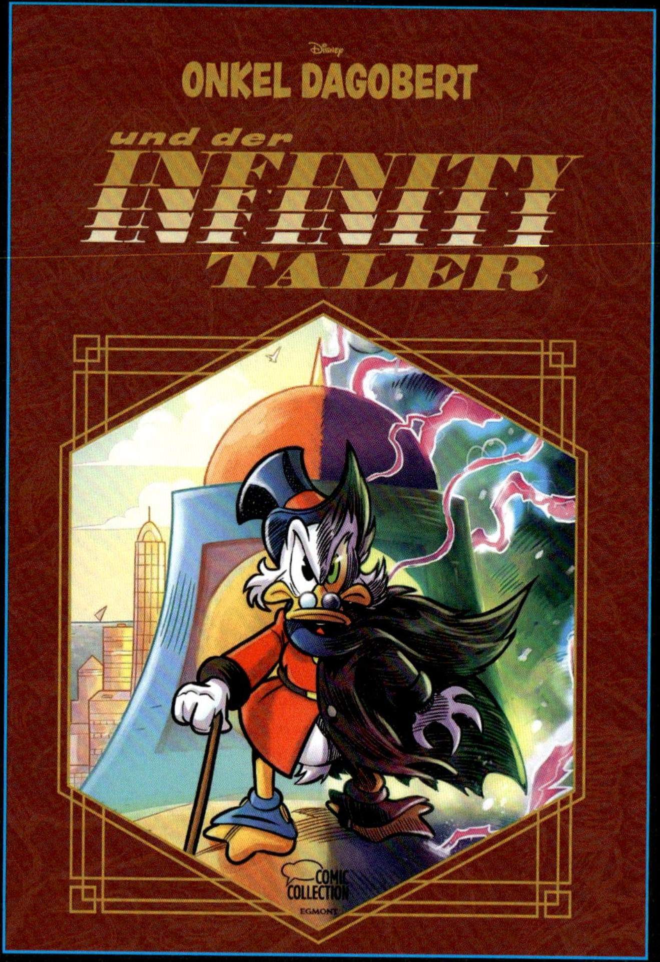

damit Universen) werden. Das liest sich zwar ganz nett, haut einen aber keineswegs vor Originalität aus den Schuhen, zumal die Auflösung recht simpel ist: Es gibt einen „Ankerpunkt", der alle Unordnung, die der „böse" Dagobert stiftet, wieder ins Lot bringen kann. Wer oder was das ist, soll eine – allerdings nicht gerade gelungene – Überraschung sein. Doch der Klappentext lobt: Aaron „bringt mit dieser epischen Story Marvel-Flair nach Entenhausen".

Episch mag die Story ***Onkel Dagobert und der Infinity-Taler*** mit ihren knapp 40 Seiten für amerikanische Verhältnisse sein, der Leser hierzulande ist aufgrund der regen europäischen Produktion von Alben anderes gewöhnt. Aber vielleicht meint der Klappentext das ja auch ganz anders ... Interessant macht das vorliegende Buch also weniger die eigentliche Story als das „Zusatzmaterial", von dem Egmont einiges dazu gepackt hat. Wie es in den USA mittlerweile bei Jubiläums- und sonstigen herausragenden Ausgaben üblich ist (und daran konnte auch Kackwurst-Trumps Wiederwahl nichts ändern), erscheinen sie mit diversen Variant-Covern. Nicht nur die sind komplett in der vorliegenden Ausgabe enthalten, man findet auch Interviews und Hintergrundgeschichten. Bei den Gesprächen (mit dem Autor, den sechs Zeichnern der Titelstory und vielen der die identische Fragestellung ein wenig, ist zugleich aber auch sehr erhellend. Die meisten betonen, Donald (und Dagobert) Duck schon als Kind gekannt und gemocht zu haben – wenn nicht von den Comics her, die in den USA einen weit niedrigeren Bekanntheitsgrad haben als in Europa, dann eben von den Zeichentrickfilmen. Inwieweit da dem Arbeitgeber oder Dagobert Honig um den anfänglich noch vorhandenen Backenbart geschmiert wird, sei dahingestellt. Lesenswert sind auf jeden Fall die Angaben zur Arbeitsweise und dem Werdegang der verschiedenen Zeichner.

Wirft man einen Blick auf den Preis – 35 Taler für gerade mal 96 Seiten im Comic-Heftformat – ist man geneigt, zuerst einmal kräftig zu schlucken. Bei Panini bekommt man ***Batman: City of Madness*** für das gleichen Preis ebenfalls als gebundene Ausgabe, aber im Großformat und mit fast der doppelten Seitenzahl komplett in Farbe gedruckt. Das mag in erster Linie den hohen Übersetzungskosten geschuldet sein. Die Interviews und Hintergrund-Berichte sind eben wesentlich „textintensiver" als eine Comicseite mit einem einigermaßen normalen Textumfang. Den Übersetzer wird's bei der üblichen Honorierung durch den Verlag freuen, den Käufer eher weniger. Ob er so viel Geld für so wenig Buch ausgeben möchte, bleibt letztlich aber jedem Leser selbst überlassen.

BIRGIT SCHWENGERS BUCHREZENSIONEN

Children of Blood an Bone: Goldener Zorn, Tomi Adeyemi Fischer Tor, 624 Seiten, € 18,00

Fantasy mit afrikanischen Wurzeln: ***Children of Blood and Bone: Goldener Zorn*** von Tomi Adeyemi ist in einer exquisiten Neuauflage mit Farbschnitt erschienen. Birgit Schwenger meint: zugreifen!

Die junge Zélie Adebola lernt mit anderen jungen Mädchen aus ihrem Dorf bei Mama Agba. Was nach außen hin eine Schneiderei zu sein scheint, ist in Wirklichkeit eine Schule, in der sie insgeheim zu Kämpferinnen ausgebildet werden. Denn sie sind die Kinder der Maji, der alten magischen Clans, die über die Naturgewalten und Elemente gebieten und in Kontakt zu den Göttern stehen. Doch Saran, der König von Orïsha, hat die Maji vor 11 Jahren in der Blutnacht von seinen Soldaten ermorden lassen, und die Magie verschwand. Nur wenige Maji haben in Verstecken überlebt. Ihre Kinder, die Divinés, die einst mit 13 Jahren ihre magische Gabe erhalten haben, leben in ständiger Gefahr, ebenfalls umgebracht zu werden. Durch ihre weißen Haare sind sie sofort als Rechtlose erkennbar: Sie werden als »Maden« diskriminiert und fristen meist ein sklavenähnliches Dasein, gedemütigt und ständig der Willkür des Königs und seiner Soldaten ausgesetzt.

Zélie lebt mit ihrem Vater, einem Fischer, und ihrem Bruder Tzain, im Küstendorf Ilorin. Beide sind Kosidàn, Orïshaner ohne Magie, und bieten Zélie einen gewissen Schutz, sind aber gleichzeitig als Angehörige einer Diviné auch Drangsalierungen ausgesetzt. Als Zélie und Tzain versuchen, den gefangenen Fisch auf dem Markt in Lagos gegen Geld zu tauschen, geraten sie in eine Auseinandersetzung mit den Soldaten des Königs, die ein junges Mädchen jagen: Ausgerechnet Prinzessin Amari, König Sarans Tochter, der für den Mord an Zélies Mutter verantwortlich ist, bittet Zélie um Hilfe und Schutz vor den Soldaten!

Aus vermeintlichen Feindinnen werden Verbündete, denn Amari will das Königreich wieder vereinen und die Magie zurückzubringen. Gemeinsam mit Tzain und der Löwenesse Nailah, ihrem treuen Reittier, begeben sie sich auf eine lebensgefährliche Mission, um die Magie wieder zu erwecken und die Maji vor dem endgültigen Untergang zu bewahren. Doch ein gefährlicher Verfolger ist ihnen bereits auf der Spur: Prinz Inan, der im Namen seines Vaters den Verrat seiner Schwester sühnen und die Magie endgültig vernichten soll.

»Black Panther mit Magie«

Mit diesen Worten hat Tomi Adeyemi den Inhalt ihres

LESESTOFF

>> COMICS
>> BOOKS

Debütromans zusammengefasst und das trifft es in der Tat sehr gut. Die US-amerikanische Autorin bringt mit der Einbindung afrikanischer Mythen und Legenden frischen Wind in das Fantasy-Genre. Als Erwachsene begann sie sich, mit ihren nigerianischen bzw. yorubischen Wurzeln auseinanderzusetzen, was sie schließlich zum Schreiben von ***Children of Blood and Bone*** inspirierte, dem ersten Band ihrer ***Legacy of Orïsha***-Trilogie, der mit mehreren Preisen ausgezeichnet und ein internationaler Bestseller wurde. Auch eine Filmadaption unter der Regie von Gina Prince-Bythewood (***The Old Guard***) ist bereits in Arbeit.

Die deutsche Übersetzung von Andrea Fischer erschien, 623 Seiten stark, erstmals 2018 im S. Fischer Verlag und ist jetzt zeitgleich zur Erstveröffentlichung des dritten und letzten Bandes der Trilogie in einer wunderschön gestalteten Neuausgabe als Klappbroschur veröffentlicht worden, die eine wahre Zierde für jedes Bücherregal ist. Der Verlag empfiehlt das Buch zwar ab 14 Jahren, aber es ist genauso für ältere Leser und Leserinnen geeignet, zumal einige Stellen, vor allem die Schilderung der mörderischen Blutnacht, sehr drastisch und reichlich brutal sind. ***Children of Blood and Bone*** ist ein Fantasy-Roman mit ausschließlich schwarzen Protagonisten, der in Afrika spielt und zur Abwechslung einmal nicht in einem mittelalterlichen Land, das Europa ähnelt. Mit Zélie hat Adeyemi eine starke weibliche Heldin geschaffen, die aktiv gegen Rassismus und Unterdrückung kämpft und für die Rechte von Frauen und Mädchen eintritt, ohne dass der Roman dadurch zu einem moralischen Pamphlet wird. Mitreißend und spannend aus wechselnden Perspektiven erzählt, setzt sich die Autorin für ein friedliches Zusammenleben unterschiedlicher Gruppen und Lebensweisen, den Wert von Kunst und Kultur, Freundschaft und Liebe entgegen aller Vorurteile ein. Durch die Vielfalt der Charaktere (mit Tzain und Inan sind auch zwei starke männliche Hauptfiguren präsent) gelingt es ihr geschickt, eine breite Schicht an Lesern anzusprechen und zu fesseln. Am Ende des ersten Bandes will man schließlich nur noch eins: Sofort den zweiten Band weiterlesen!

Children of Virtue and Vengeance - Flammende Schatten, Tomi Ayedemi, Fischer Tor, 496 Seiten, € 18,00

Children of Virtue and Vengeance – Flammende Schatten: Der zweite Band der ***Legacy of Orïsha***-Trilogie ist in exquisiter Neuauflage mit Farbschnitt erschienen. Lesen lohnt sich, findet Birgit Schwenger.

Zélie ist es gemeinsam mit den anderen Maji und Prinzessin Amari gelungen, König Saran zu besiegen und die Magie wieder nach Orïsha zurückzubringen. Doch der Preis dafür war hoch: Zélie hat ihren geliebten Vater verloren, und auch viele ihrer neuen Freunde unter den Maji haben ihr Leben für den Sieg gegeben. Aber haben die Maji wirklich gewonnen? Ist Orïsha wieder vereint? Können Maji und Kosidàn nach Jahren der Unterdrückung und des Hasses wieder gemeinsam in Frieden leben? Im letzten großen Kampf gegen Sarans Truppen hat Zélie alles gegeben. Mit ihrer gewaltigen Beschwörung der Götter hat sie nicht nur die Magie für die Maji zurückgebracht, sondern auch den adeligen Kosidàn, den Titanen, magische Kräfte gegeben. Die wollen nun Rache und sind mit ihren neu gewonnenen Kräften gefährlicher als je zuvor. Amaris Versuch, Frieden zu stiften und die Truppen ihres Vaters unter sich zu vereinen, scheitert katastrophal: Ihre Mutter Nehanda ist zur mächtigsten Titanin geworden, die durch ihre besonderen Kräfte schier unbesiegbar scheint. Sie erklärt den Maji den Krieg und macht Jagd auf sie, wo sie nur kann. Zélie, Tzain und Amari ziehen sich ins Sanktuar Ile Ijosin zurück, wo sie zu Zélies großer Freude auf Mama Agba treffen, die die überlebenden Maji um sich geschart und die alten Clans einberufen hat.

Zélie wird zur Ältesten des Clans der Seelenfänger, Amari, die durch Zélies Ritual auch zur Titanin geworden ist, zur Ältesten der Geistwandler. Doch die anderen Maji lehnen sie ab, weil sie Teil der Königsfamilie ist, die so viel Leid und Tod über die Maji und ihre Familien gebracht hat. Amari selbst versucht alles, um Frieden zwischen den beiden verfeindeten Gruppen zu stiften, erst Recht, als sie erfährt, dass ihr Bruder Inan überlebt und zum neuen König Orïshas ausgerufen worden ist.

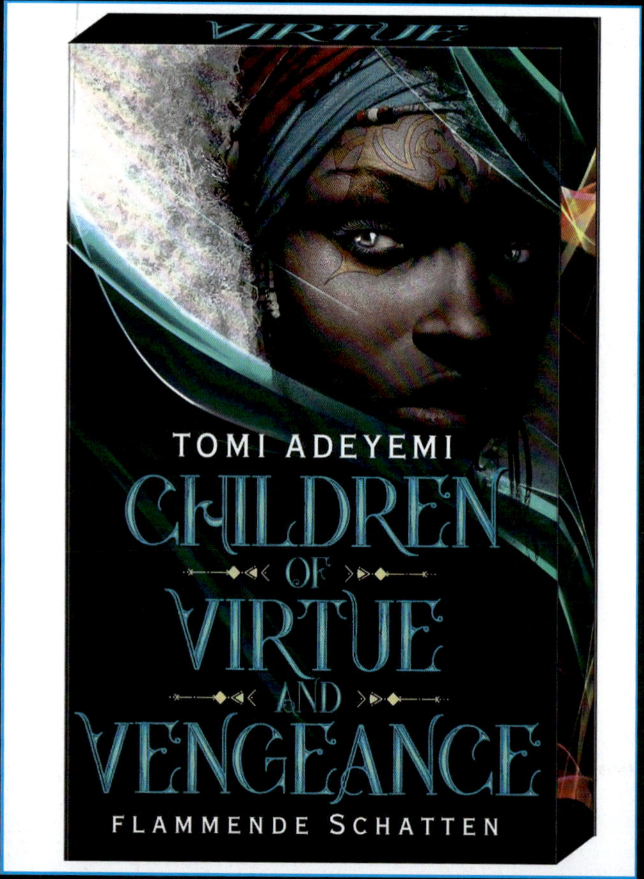

Doch das Misstrauen der Majis ist groß, und dass Amari ihre neu gewonnene Magie noch nicht wirklich kontrollieren kann, macht es ihr auch nicht leichter, ihren Aufgaben als Älteste ihres Clans nachzukommen. Zélie, die von den Maji inzwischen als Kriegerin des Todes verehrt wird, plant dagegen den alles entscheidenden Kampf gegen König Inan und seine Soldaten. Sie kann ihm seinen Verrat nicht verzeihen und glaubt nicht mehr an ihren gemeinsamen Traum, ein vereintes Orïsha für alle zu erschaffen. Ist Orïsha zum Untergang verurteilt?

Fantasy mit afrikanischen Wurzeln

Mit ihrem Erstlingswerk ***Children of Blood and Bone*** hat die US-amerikanische Autorin Tomi Adeyemi einen internationalen Bestseller geschaffen, der demnächst auch verfilmt worden soll. Auch ***Children of Virtue and Vengeance***, der zweite Band ihrer ***Legacy of Orïsha***-Trilogie, greift wieder auf westafrikanische Mythen und Legenden zurück: Adeyemi lässt die Götterwelt ihrer Vorfahren des Stammes der Yoruba wieder aufleben und hat in ihren Büchern eine Fantasy-Welt mit ausschließlich schwarzen Charakteren geschaffen, die fest in ihrer Kultur verankert sind. Für die Leserinnen und Leser bedeutet dies neue aufregende Welten zu erkunden und abseits der gewohnten Pfade spannende Abenteuer mit den liebgewonnenen Figuren zu erleben. Zu den drei bekannten Erzählperspektiven aus dem ersten Band, Zélie, Amari und Inan, kommt nun noch Tzain hinzu, der als einziger der Hauptfiguren nicht über Magie verfügt und sich selbst beweisen will, dass er deshalb nicht wertlos ist. ***Children of Virtue and Vengeance*** wurde, 492 Seiten stark, erstmals bei Fischer Tor im Juni 2019 veröffentlicht und sie ist nun zeitgleich mit dem Erscheinen des dritten und letzten Bandes der Trilogie in einer wunderschön gestalteten Neuausgabe als Klappbroschur veröffentlicht worden, die eine wahre Zierde für jedes Bücherregal ist. Der Verlag empfiehlt das Buch zwar ab 14 Jahren, aber es ist genauso für ältere Leser und Leserinnen geeignet, zumal einige Stellen, vor allen bei den Kampfszenen, sehr drastisch und blutig geschildert werden. Das Erzähltempo und auch der Action-Gehalt sind, wie schon im ersten Band, sehr hoch. Aber auch die Mythologie und der Einfluss der Götterwelt auf die Magie der Maji kommen nicht zu kurz. Spannende Unterhaltung und Nervenkitzel mit Cliffhanger sind garantiert!

Children of Anguish and Anarchy Gleißendes Herz, Tomi Ayedemi, Fischer Tor, 432 Seiten, €18,00

Children of Anguish and Anarchy Gleißendes Herz: Der packende Abschluss der ***Legacy of Orïsha***-Trilogie von Tomi Adeyemi ist erschienen.

Zélie hatte ihr Ziel schon vor Augen: Die Maji hatten den Königspalast eingenommen und Inan war bereit, seine Krone aufzugeben, um Orïsha den Frieden zu bringen, als plötzlich der ganze Palast von einer giftigen weißen Wolke eingehüllt wird. Zélie sinkt ohnmächtig zu Boden und findet sich an

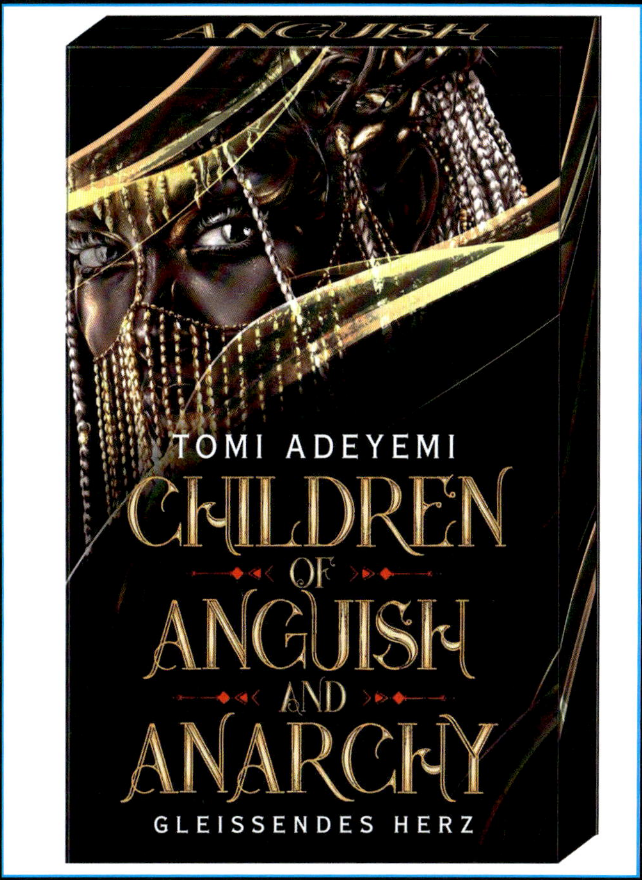

Händen und Füßen gefesselt eingesperrt in einem Käfig auf einem Schiff mitten auf dem Meer wieder. Auch Amari und die anderen Maji sind Gefangene der grausamen Skulls und ihres Königs Baldyr, der sie brutal foltern und misshandeln lässt. Er sucht das Mädchen mit der Sonne im Blut, dessen Kräfte ihn laut einer alten Prophezeiung zu einem Gott machen sollen. Mit Hilfe eines magischen goldenen Medaillons unterwirft er Zélie seinem Willen und beginnt, ihr ihre magischen Kräfte zu entziehen. Schnell wird den Maji klar, dass ihr einziges Heil in der Flucht liegt, wenn sie nicht als Sklaven in Baldyrs Reich oder schlimmer noch, tot auf dem Meeresgrund enden wollen. Doch die Skulls sind anhand von Blutmagie schier übermächtig: Sie verwandeln sich in blutrünstige Kolosse und metzeln alles nieder, was ihnen im Weg steht. Zélie weiß, dass sie alles daran setzen muss zu entkommen – die Prophezeiung darf nicht Wirklichkeit werden, wenn ihr Volk überleben soll. Und sie muss das zweite Mädchen aus einem fremden Reich finden, für das das andere Medaillon bestimmt ist, um sie zu warnen. Wird es Zélie, Amari und Tzain gelingen, König Baldyr zu besiegen und Orïsha vor dem endgültigen Unterganz zu retten? Wo können sie Hilfe finden? Und wie können sie Inans Soldaten überzeugen, dass sie nun einen gemeinsamen Feind haben und ihre alten Konflikte begraben müssen, wenn sie überleben wollen?

Ende gut, alles gut?

Auch in ***Children of Anguish and Anarchy***, dem dritten und letzten Band der ***Legacy of Orïsha***-Trilogie fährt Tomi Adeyemi schwere Geschütze auf: Es wird gekämpft – und das zu Wasser, zu Land und in der Luft. Eine Schlacht jagt die nächste, während Zélie und ihren Freunden die Zeit davonläuft. Es sind nur noch wenige Tage, bis der Blutmond, an dem sich die Prophezeiung erfüllen soll, am Himmel stehen wird. Trotz Action und Gewalt kommt auch im dritten Buch der Reihe die Mythologie und ihre magischen Kräfte nicht zu kurz. Zu den Maji und ihren afrikanischen Göttern kommen nun auch die nordische Sagenwelt mit ihren Hexen und dunkeln Ritualen sowie das wunderschöne Baumreich von Neu-Gaia mit neuen Charaktern wie der Hohepriesterin Mae'e, den Rankenflechterinnen, Kaiser Jorah und General Koa mit seinen Lamina-Kämpfern. Auf den ersten Blick scheint die Verlagerung des Handlungsschwerpunkts von Orïsha auf zwei neue unbekannte Reiche vielleicht etwas willkürlich, setzt aber den Ansatz der ersten beiden Bände fort, eine Geschichte von Unterdrückung, Hass und Gewalt zu erzählen. König Baldyr und den Skulls ist ein Menschenleben nichts wert. Seine Schiffe sind die Sklavenschiffe, die die Menschen Afrikas in die neue Welt und ein menschenunwürdiges Dasein voller Gewalt und Misshandlung bringen, deren Opfer nicht nur, aber vor allem auch Frauen sind.

Gemeinsam sind wir stark

Zélie will das andere Mädchen vor dem Schicksal bewahren, dass ihr selbst widerfahren ist. Sie weiß, dass sie Verbündete braucht, um gegen den gemeinsamen Feind bestehen zu können. Und vielleicht kann dieser gemeinsame Feind sogar der Anlass sein, dass die Maji und die Kosidàn Orïshas sich die Hände reichen und ihren Konflikt begraben, um ihre Heimat gemeinsam zu retten. »For only love can conquer hate«, sang schon Marvin Gaye zu Zeiten der amerikanischen Bürgerrechtsbewegung, und nur gemeinsam sind wir stark: Gespalten werden weder Maji noch Kosidàn bestehen, und die friedliche, wundervolle Welt von Neu-Gaia wird untergehen in Gewalt und Chaos.

Wieder verlässt Tomi Adeyemi mit ihrem Roman gewohnte Erzähltraditionen und verflicht Mythen und Legenden verschiedener Länder zu einer neuen spannenden Geschichte. Abgesehen davon, dass die Weißen hier die Bösen sind, wo sonst doch so häufig die Schwarzen die bösen Wilden aus dem Urwald sind, ist es wieder die bunte Vielfalt, die verschiedenen Traditionen und Lebensweisen, die unterschiedlichen Charaktere, die sich verständigen und sich gegenseitig anerkennen, um schließlich gemeinsam ihre Welt vor dem Untergang zu bewahren.

Der abschließende Band der Reihe ist dieses Jahr im Fischer Verlag, 430 Seiten lang, in einer wunderschön gestalteten Ausstattung als Klappbroschur erschienen, zeitgleich zur Neuveröffentlichung der ersten beiden Bände. ***Children of Anguish and Anarchy*** legt in Punkto Brutalität und Schilderungen von Gewalt noch einmal deutlich zu, so dass die Altersempfehlung ab 14 Jahren etwas fragwürdig ist und hier wohl doch eher ältere Leserinnen und Leser das Zielpublikum sind. Die Erzählperspektive wechselt erneut zwischen Zélie, Amari, Inan und Tzain, die alle ihren unterschiedlichen Weg gehen und vor sich selbst verantworten müssen, welche Entscheidungen sie zu treffen bereit sind.

Ursula K. LeGuin: Keine Zeit verlieren

Birgit Schwenger stellt den lesenswerten Essay-Band der Grande Dame der angloamerikanischen Science-Fiction vor.

In den letzten Jahren ihres Lebens hat Ursula LeGuin noch einmal einen Schritt in eine für sie neue Welt getan: Nachdem 2008 mit ***Lavinia*** ihr letzter Roman erschienen war, beschloss sie sich nur noch kürzeren Formaten zu widmen. In Interviews gab sie laut Karin Nölle, der Übersetzerin des Buches, zu Protokoll, dass ihr für größere Entwürfe nun die Kraft und Energie fehlen würde. So ging sie 2010, mit 81 Jahren, unter die Blogger, um in kurzen Texten Themen und Ideen aufgreifen

zu können, die nicht nur für sie, sondern auch für eine größere Weltöffentlichkeit von Interesse waren und nach wie vor sind. Der Originaltitel des Buches macht dies mit ***No time to spare: Thinking about what matters*** noch stärker deutlich.

Das Buch ***Keine Zeit verlieren,*** im Golkonda Verlag erschienen, ist in insgesamt sieben Teile eingeteilt, die sich mit verschiedenen Themen beschäftigen wie der Wahrnehmung von Literatur und der Rolle der Phantastik in ihr, der Verantwortung von Autorinnen und Autoren in schwierigen Zeiten, dem Verständnis der Welt um uns herum, der Parallelität von Wissenschaft und Glauben, aber auch LeGuins Kater Pard.

Sie philosophiert und macht sich Gedanken manchmal kritisch und nachdenklich, manchmal auch ironisch und protestierend, aber auf jeden Fall immer interessiert und engagiert. Wahrscheinlich ist es ihrem Aufwachsen als Tochter zweier angesehener Anthropologen zu verdanken, dass LeGuin offen für alles war, vor allem auch für die unendliche Vielfalt von Arten, wie Menschen ihr Leben verbringen und mit welchen Dingen sie sich beschäftigen. Sie scheut sich nicht in ihren Essays auch schwierige Fragen in Bezug auf Politik und Gender zu stellen, immer auch Themen ihrer Romane, die sich mit tiefgreifenden Ideen über Identität, Geschlechterrollen und politischen Systemen auseinandersetzen.

Nölle schreibt, dass LeGuin auf die Frage, warum sie Schriftstellerin hätte werden wollen, immer geantwortet hätte, dass sie nie darüber nachgedacht, sondern einfach immer geschrieben habe: Es sei ihr immer um die Sache gegangen. So konnte sie schließlich auch auf ein großes, preisgekröntes, an die 50 Bände umfassendes Werk, zurückblicken. Neben dem ***Hainish-Zyklus*** (***Die linke Hand der Dunkelheit, Das Wort für Welt ist Wald, Planet der Habenichtse***) zählt die Fantasy-Serie der Erdsee-Romane zu LeGuins berühmtesten Werken. Sie wurde 2003 von den Science Fiction and Fantasy Writers of America zum Grand Master ernannt – nach Andre Norton war sie damit erst die zweite Frau, die diese Auszeichnung erhielt. 2014 erhielt sie bei der Verleihung des amerikanischen National Book Award die Medal for Distinguished Contribution to American Letters, quasi den Lifetime Achievement Award für Literatur. In ihrer Dankesrede widmete LeGuin den Preis ihren Genre-Kolleginnen und Kollegen, also den Autoren, die in den letzten 50 Jahren so lange zusehen mussten, wie die Auszeichnungen immer an die sogenannten Realisten verliehen wurden. Das ist auch in ***Keine Zeit zu verlieren*** Thema: Fehlen Genre-Romane, vor allem Science-Fiction und Fantasy, doch häufig auf literarischen Bestenlisten oder Kanons und gehen bei Preisen öfter leer aus. Dabei ist die Exzellenz eines Buches nicht vom Genre oder dem Thema abhängig, sondern von seiner Durchschlagskraft, von seinem Vermögen die eigene Alters- oder Gesellschaftsgruppe anzusprechen. Es ist seine Sprache, die auch bei Genrewerken zu fesseln und zu überzeugen vermag. Herkunft, Nationalität oder Geschlecht spielen im phantastischen Genre, das zu oft als reine Unterhaltungs- oder Trivialliteratur abgetan wird, häufig keine oder eine andere Rolle als in der sogenannten anspruchsvollen Literatur als ob ein Genre-Roman nicht anspruchsvoll sein kann! So sieht LeGuin dann auch Homers ***Odyssee*** als »Ursprung all unserer phantastischen Geschichten, in denen sich jemand auf die Reise über Meer oder Land begibt« und stellt interessante Vergleich zwischen der Odyssee und dem ***Herrn der Ringe*** an. Aber LeGuin wäre nicht sie selbst, wenn sie das Gute nur in der Vergangenheit sehen würde, im Gegenteil: »... gerade jetzt schreibt irgendein Mann oder irgendeine Frau einen neuen [Roman], von dem wir nicht gewusst haben, dass wir ihn brauchen, bis wir ihn lesen.« Die Geschichte muss nur richtig gut erzählt sein, alles andere findet sich.

Im Kern geht es in allen ihren Werken um das, was den Menschen ausmacht, die ganze Bandbreite menschlicher Möglichkeiten: »Herz, Mut, Freude, Trauer, Achtung vor den Welten, in denen die Figuren leben, mit allen Tieren, Pflanzen, Meeren, Landschaften«, aber auch die Möglichkeiten des Missbrauchs von Macht und Herrschaft, dem »Zusammenspiel von Innenleben und Außenwelt«. Das ist heute leider aktueller denn je, wobei besonders bemerkenswert ist, dass sie bewaffnete Konflikte als Problemlösung nicht interessieren, Verstand und Gefühl sind ausschlaggebend.

In ihrem utopischen Roman ***Immer nach Hause*** beschreibt LeGuin das Leben und die Gesellschaft des Kesh-Volkes, einer kulturellen Gruppe, die in der fernen Zukunft lebt, lange nachdem die moderne Gesellschaft zusammengebrochen ist. Es geht nicht darum, die totale Kontrolle auszuüben, sondern um die menschliche Anpassungsfähigkeit und das langfristige Überleben der Menschheit, schreibt sie im Kapitel ***Utopiyin, Utopiyang***. Das beinhaltet in ihren Worten auch »die Akzeptanz von Vergänglichkeit und Unvollkommenheit, Geduld mit Unsicherheit und Provisorischem...« - eine Fähigkeit oder auch Tugend, die man heute vielen Menschen wünschen möchte.

Die amerikanische Autorin Karen Joy Fowler (***Künstliche Dinge, Sarah Canary***) schreibt in ihrer Einführung zu ***Keine Zeit verlieren***, Le Guin sei nicht vorhersehbar. Man wisse nie, wie ihre Antwort auf eine Frage ausfalle gemäß ihrem Motto »Es muss nicht sein, wie es ist». So ist das Nicht-Menschliche in ihren Geschichten genauso interessant und wichtig wie das Menschliche, und Fantasy viel subversiver und spannender als realistische Literatur, ein »Sprungbrett für eigene Überlegungen» - genau wie dieser Essay-Band. Im Kapitel ***Alles weglügen*** schreibt die amerikanische Schriftstellerin »Ich habe einmal in einem Land gelebt, das eine Zukunft hatte.« Damit wir alle noch eine lebenswerte Zukunft haben, gilt in der Tat: Keine Zeit verlieren!

Rebecca Campbell: Arborealität, Memoranda, 197 Seiten, € 18,00

Birgit Schwenger empfiehlt wärmstens den literarischen Weckruf der kanadischen Autorin in Sachen Klimawandel.

Der Wissenschaftler Jude unterrichtet in der Geschichte

LESESTOFF

>> COMICS
>> BOOKS

Sondersammlungen nur noch online – der Ausnahmezustand ist längst zum Regelfall geworden und der Campus der Uni im kanadischen Victoria nur noch ein Abglanz früherer Zeiten: Die Studentenwohnheime stehen längst leer, die Pflanzen vertrocknen aufgrund der großen Hitze und was die Waldbrände nicht zerstören, versumpft wegen der lang anhaltenden Regenzeiten. Während Jude noch den Erinnerungen an seine eigene sorglose Studentenzeit in den 90er Jahren nachhängt, sind seine Studierenden empört über den damaligen frivolen Lebenswandel, für den sie jetzt den Preis zahlen. Mit Studienfächern wie Katastrophenmanagement oder Experimentelle Landwirtschaft versuchen sie, sich wenigstens für das Überleben zu wappnen, falls die Welt nicht mehr zu retten sein sollte. Jude startet schließlich mit Bernice, der Bibliothekarin der Uni, seine ganz eigene Rettungsaktion: Die Bibliothek ist den neuen Wetterphänomen schutzlos ausgeliefert, das Untergeschoss ist schon überschwemmt, durch das Dach dringt Regen ein - die Buchbestände drohen vernichtet zu werden. Gemeinsam mit einigen Gleichgesinnten machen sich die beiden daran, das Wissen, die Kunst und Kultur der letzten Jahrhunderte zu retten und für zukünftige Generationen zu bewahren, während um sie herum die Welt, wie sie die gekannt haben, untergeht.

Das Ende ist nah

In der zweiten Erzählung, ***Kontrolliertes Abbrennen***, beginnt Bernhard sein Grundstück und nach und nach auch die verlassenen Häuser und Gärten seiner Nachbarn der Natur zurückzugeben. Er pflanzt Quamash an, deren Zwiebeln schon den Indianern als Nahrungsmittel gedient hat, Eichen und Holzapfelbäume. Nach jeder Waldbrandsaison werden es weniger Menschen im Ort – wer kann, zieht weg, sucht Arbeit bei der Brandbekämpfung, auf Versuchsfarmen für gentechnisch veränderte Pflanzen oder in den Bergwerken. Als die Jahrhundertfluten von Jahr zu Jahr schlimmer werden und im Winter 2052 die Schnellstraße an den Enden des Tals durch Erdrutsche verschüttet wird, bleibt Bernhard, obwohl der Ort endgültig aufgegeben wird und das Ende zum Greifen nah ist.

Eine Vision voller Hoffnung in Zeiten der Angst

In der dritten Geschichte ***Ein bedeutender Fehlschlag*** hegt der Geigenbauer Mason den großen Traum, die perfekte Geige zu bauen – trotz aller Widrigkeiten und Hindernisse, die ihm die neue, veränderte Welt in den Weg legt. Mason und seine Freunde Jake und Sophie versuchen, sich mit der neuen Welt zu arrangieren. Es bringt nichts, der Vergangenheit hinterher zu trauern, das Leben geht weiter und auch in der Zukunft braucht man noch Träume. Auch in den weiteren drei Geschichten des Buches geht es um den Schmerz über die verlorene Vergangenheit, die Schwierigkeiten, sich mit dieser neuen, anderen Welt zu arrangieren, die doch auch Menschen gemacht ist, den Willen, zu überleben, und den Möglichkeiten, ein neues Leben aus dem alten wachsen zu lassen.

Weckruf vor der Klimakatastrophe

Der kanadischen Autorin Rebecca Campbell ist ein beängstigender Weckruf gelungen, der dennoch Hoffnung macht: Auch wenn es für die Menschen dieser neuen, vom Klima gewandelten Welt keine andere Zukunft mehr gibt, als die Überlassenschafften der vorherigen Generationen zu zerstören, die in ihrem Rausch von immer mehr und noch mehr, die Welt an den Abgrund gebracht haben, so gibt es doch weiterhin das Schöne in der Welt, visionäre Träume und kleine Wunder, die Hoffnung auf eine neue Zukunft machen. Es entsteht, wie Campell es schreibt »ein Zusammenwirken der Menschen, die wir vor Ankunft der Siedler einmal waren, und dem, was aus uns werden kann.« Während unten auf der Welt 47 Grad herrschen, starten von Kasachstan aus neue Marsmissionen, »um das Heil der Menschheit im Weltraum zu suchen.« Doch die wahre Rettung, so hofft man als Leser jedenfalls, liegt in der Kraft und Beharrlichkeit der Menschen, sich auch an die

widrigsten Umstände anzupassen und trotz aller Schrecken den Lebensmut nicht zu verlieren. Campell schafft Zeichen der Hoffnung, dass es möglich sein kann, ja möglich sein muss, in dieser Welt, deren Zukunft uns sehr viel näher ist, als uns lieb sein kann, inmitten eines Landes, in dem Waldbrände und Überschwemmungen zum Alltag geworden sind, in dem Pandemien und Umweltkatastrophen unzählige Opfer gefordert haben, eine neue Welt mit einer neuen Zukunft für unsere Kinder und Enkelkinder zu erschaffen.

Die Welt ist dunkel

»Später wird man die Geschichte dieser Zeit in Zahlen fassen, aus weiter Ferne und großer Höhe gemessen, Zahlen, die zu gewaltig sind, als dass man sie sich vorstellen könnte: Wie viele Hektar zerstört wurden, wie viele Menschen umkamen, wie viele fliehen mussten, wie viele Arten ausstarben, wie viele Flüsse ihren Lauf änderten. Es wird Karten von der größten Ausdehnung der Brände geben, so wie wir heute Karten des Römischen Reichs unter Trajan haben. Diese Zeit wird der Schatten sein [...], aus dem wir verändert hervorgehen.«

Das hofft die Astronautin Noor, die in der Raumstation Tiangong die Erde umrundet und sich von dort oben ihr ganz eigenes Bild der Erde macht. Von den wenigen Refugien der Milliardäre und Techbros abgesehen, die sich mit ihrem Geld in Klima-Oasen wie Detroit, Cincinnati und Toledo niedergelassen haben, ist die Welt jedoch dunkel, und die Umweltkatastrophen, die sie auch vom Weltraum aus sehen kann, machen ihr – und auch dem Leser – Angst. Stellenweise fragt man sich, ob man einen Tatsachenroman liest - und hofft, dass dieser ein gutes Ende haben wird.

Wenn die Welt untergeht, rät der Erzähler in ***Kontrolliertes Abbrennen***, ist es umso wichtiger, in der Nähe der geliebten Menschen zu sein. Wenn die eigene Welt immer kleiner und von Gefahren bedroht wird, sind es die Familien, die Freunde, die Gemeinschaft, die zusammenhalten und Kraft geben. Diesen Eindruck vermittelt Rebecca Campell vor allem auch mit den drei letzten Erzählungen des Bandes – ***Reiser und Wurzelstöcke, Kneipenessen und Die Baumkathedrale*** –, die Hoffnung geben, dass es doch noch eine Zukunft für die Menschheit geben kann. Und diese Hoffnung ist auch bitter nötig nach den allzu realen Schrecken der ersten Geschichten! Wer jetzt nicht aufwacht und zu handeln beginnt, hat die Konsequenzen hier deutlich vor Augen.

Die Wirklichkeit der Bäume

Im Original ist ***Arborealität*** bereits 2022 erschienen. 2025 hat der deutsche Carcosa Verlag die Übersetzung von Barbara Slawig, einer promovierten Biologin, als ebook und Hardcover mit Lesebändchen vorgelegt. 2023 erhielt das Buch, das auf dem schön gestalteten Cover den Zusatz Erzählungen trägt, den Ursula K. Le Guin Prize, was einen beim Lesen schmunzeln lässt, da es auf die Autorin auch eine kleine Anspielung im Buch gibt: »Das da unten sieht aus wie Erdsee, die vielen grünen Inseln, die weiße Brandung.«, sagt ein mitreisender Passagier zur Astronautin Noor, als sie auf dem Weg nach Kasachstan ist, um in den Weltraum aufzubrechen. Die sechs Geschichten spielen in einem Zeitraum, der in etwa in der Jetztzeit bzw. unserer unmittelbaren Zukunft beginnt und uns zum Schluss bis ins Jahr 2100 führt. Eigentlich handelt es sich aber doch – wie der aufmerksame Leser merken wird – um einen Roman, der sich sehr speziell, wie ein Mosaik, aus kleinen Erzählstücken zusammensetzt. Erst nach und nach merkt man, dass einzelne Charaktere erneut auftauchen, von ihnen erzählt wird oder man auf ihre Spuren stößt. Es gibt keine wirklichen Hauptfiguren, auch wenn manche Charaktere eine größere Rolle als andere zu spielen scheinen, manche Elemente oder kleine Details aus den vorherigen Geschichten werden wieder aufgegriffen. Aber nur als Ganzes erschließt sich die Bedeutung, aus den einzelnen Handlungssträngen ergibt sich schließlich ein komplexes Gesamtbild

EINE LANZE FÜR DEN APFEL

Ich möchte heute einmal eine Lanze für das Streaming brechen. Nein, nicht für solche Looser-Dienste wie Paramount+, die in Deutschland nur ein billiger Abklatsch dessen sind, was in den USA präsentiert wird. Teurer werden darf man schließlich, doch wozu sollte man eine angemessene Leistung für den hohen Preis liefern? Auch nicht für Amazon Prime Video, derer richtig gute Neuveröffentlichungen man für 8,99 Euro inklusiver immer unverschämter werdender Werbung mit der Lupe suchen darf. Oder für Netflix, bei denen man für ein Standardabo inzwischen 13,99 Euro und für die Premiumvariante einen satten 20er berappen muss. Reden wir auch lieber nicht über WoW, die mit versteckten Kosten und lockeren drei Minuten Werbung vor jeder Sendung auch schon lange nicht mehr das Grüne vom Spinat sind. Auch Disney+ hat 2025 erneut an der Preisschraube gedreht, obwohl ich zugeben muss, dass ich dort immer wieder mal reinschaue. Für ein begeistertes Lob reicht aber auch das Angebot des Mäusekonzerns in meinen Augen nicht.

Wenn es einen Streamingservice gibt, der wahrlich sein Geld wert ist und jedes Lob verdient hat, ist es ausgerechnet einer, der immer noch als internationaler Underdog gilt, obwohl das dahinterstehende Unternehmen eines der größten der Welt ist. Gemeint ist natürlich Apple TV+, die es immer wieder schaffen, mich stundenlang vor dem Bildschirm zu fesseln. Nicht, dass wir uns missverstehen: Ich bin kein Apple-Jünger. Ich bin besitze weder ein I-Phone, noch ein I-Pad und schon gar kein Apple-TV. Ich besaß nie ein Gerät von Apple und werde mir wohl auch keines zulegen, schlicht, weil die verbauten Komponenten des Smartphonegiganten die hohen Preise in meinen Augen nicht rechtfertigen. Ebenso würde ich ehrlich gesagt im Traum nicht daran denken, Apple Music zu buchen. Die einzige Ausnahme von der Regel bildet aber Apple TV+, dabei war meine erste Begegnung mit dem Apfelkonzern wenig spektakulärer Natur. Eines Tages bat mich der Chefredakteur von Serienjunkies.de, ein Review zur Pilotfolge einer dort startenden Serie zu schreiben. Er gab mir eine E-Mailadresse, über die ich Zugang zu einem Screener erbitten konnte. Statt wie üblich eine oder zwei Folgen in schlechter Qualität, erhielt ich allerdings einen Account für ein Portal, über das ich jeden Film und jede Serie, fand, die entweder schon veröffentlich worden war oder es in absehbarer Zeit würde. Das nannte ich gute Zusammenarbeit. Noch wichtiger war aber die Qualität dessen, was ich da beurteilen sollte. Es war wie eine Offenbarung, die mich dazu verleitete, den Dienst für damals noch 6,99 Euro zu buchen. Seitdem bin ich ein Fan, der selbst die drei Euro starke Preiserhöhung widerspruchslos hinnahm, um meine Lieblingsserien weiter genießen zu dürfen. Und davon gibt es viele: ***Acapulco, Krank Berlin, For All Mankind, Foundation, Hello Tomorrow!, Invasion, Lady in the Lake, Lessons in Chemistry, The Morning Show, See, Silo, Slow Horses, Ted Lasso*** und neuerdings auch ***Murderbot***. Das ist Serienstuff, wie ich ihn mir wünsche. Abwechslungsreich, hochwertig und kinoreif produziert, Staraufgebot inklusive, smart erzählt und vielseitig. Was habe ich schließlich davon, von einer Neuveröffentlichung nach der anderen förmlich erschlagen zu werden, wenn ich in der Masse doch nur Mittelmaß zu sehen bekomme? Da lobe ich mir den Grundsatz: weniger ist mehr, vor allem wenn es um gute Serien geht. Nur mal so gedacht, versteht sich.

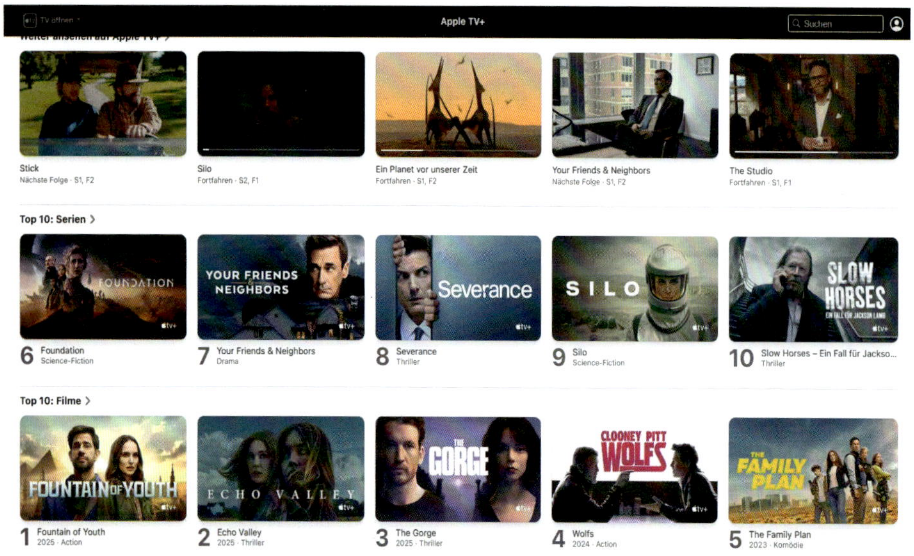

Reinhard Prahl

DER AUTOR

Reinhard Prahl schreibt seit 1999 Artikel mit Schwerpunkt auf Rezensionen, filmhistorische Themen sowie Hintergrundberichte zu Film-Franchises und -Genres. Zudem führt er für den **FedCon INSIDER** *Interviews in Englisch und Deutsch und ist als Sachbuch- und Romanautor aktiv.*